COLEÇÃO HISTÓRIA AGORA

Volume 1
A USINA DA INJUSTIÇA
RICARDO TIEZZI

Volume 2
O DINHEIRO SUJO DA CORRUPÇÃO
RUI MARTINS

Volume 3
CPI DA PIRATARIA
LUIZ ANTONIO DE MEDEIROS

Volume 4
MEMORIAL DO ESCÂNDALO
GERSON CAMAROTTI E BERNARDO DE LA PEÑA

Volume 5
A PRIVATARIA TUCANA
AMAURY RIBEIRO JR.

Volume 6
SANGUESSUGAS DO BRASIL
LÚCIO VAZ

Volume 7
A OUTRA HISTÓRIA DO MENSALÃO
PAULO MOREIRA LEITE

Paulo Moreira Leite

A OUTRA HISTÓRIA DO MENSALÃO

As contradições de um julgamento político

PREFÁCIO DE Janio de Freitas

GERAÇÃO

Copyright © 2013 by Paulo Moreira Leite

2ª edição – Março de 2013

Grafia atualizada segundo o Acordo Ortográfico da Língua Portuguesa
de 1990, que entrou em vigor no Brasil em 2009

Editor e Publisher
Luiz Fernando Emediato (LICENCIADO)

Diretora Editorial
Fernanda Emediato

Produtora Editorial e Gráfica
Erika Neves

Capa, Projeto Gráfico e Diagramação
Alan Maia

Preparação
Sandra Dolinsky

Revisão
Josias A. Andrade

DADOS INTERNACIONAIS DE CATALOGAÇÃO NA PUBLICAÇÃO (CIP)
(Câmara Brasileira do Livro, SP, Brasil)

Leite, Paulo Moreira
   A outra história do mensalão : as contradições de um julgamento
político / Paulo Moreira Leite. -- São Paulo : Geração Editorial, 2013.

   ISBN 978-85-8130-151-8

   1. Brasil - Política e governo 2. Corrupção na política - Brasil
3. Julgamentos - Brasil 4. Reportagens investigativas I. Título.

13-01301   CDD: 070.4493641323

Índices para catálogo sistemático

1. Corrupção política : Reportagens investigativas :
Jornalismo   070.4493641323

GERAÇÃO EDITORIAL

Rua Gomes Freire, 225 – Lapa
CEP: 05075-010 – São Paulo – SP
Telefax.: (+ 55 11) 3256-4444
Email: geracaoeditorial@geracaoeditorial.com.br
www.geracaoeditorial.com.br
twitter: @geracaobooks

Impresso no Brasil
Printed in Brazil

Sumário

PREFÁCIO..7
APRESENTAÇÃO 11

1. LULA DEVE SER AMORDAÇADO?...39

2. VERDADES INCÔMODAS SOBRE O MENSALÃO 47

3. "FALTOU MUITA COISA" NO MENSALÃO.......................................53

4. CONSTRANGIMENTOS NO MENSALÃO..61

5. O DESMEMBRAMENTO...69

6. PRIMEIRAS LIÇÕES DO JULGAMENTO 73

7. O NÚCLEO DA POLÍTICA DO MENSALÃO 79

8. PIADA PRONTA E PARANOIA NO MENSALÃO 89

9. CASUÍSMO NO MENSALÃO?...99

10. MORALIDADE DE UM LADO SÓ 105

11. GUSHIKEN E O POPULISMO PENAL MIDIÁTICO........................ 113

12. LEWANDOWSKI SOB PRESSÃO 121

13. PROVAS DIFERENTES, CONDENAÇÕES IGUAIS 129

14. SEGUNDAS IMPRESSÕES DO MENSALÃO 135

15. ONDE ESTÁ O DINHEIRO? 143

16. AGORA É A CRIMINALIZAÇÃO DE DILMA?................................. 151

HISTÓRIA AGORA

17. ORWELL E A "COMPRA DE VOTOS" NO MENSALÃO 159

18. O LUGAR DE GENOINO 169

19. STF E O THERMIDOR DE LULA 175

20. SEM DOMÍNIO, SEM FATOS 185

21. O GOLPE IMAGINÁRIO DE AYRES BRITTO 195

22. O DISTORCIDO EFEITO ELEITORAL DOS MENSALÕES 205

23. DITADURA GOSTAVA DE CRIMINALIZAR A POLÍTICA 211

24. QUEM NÃO TEM VOTO, CAÇA COM VALÉRIO 223

25. A DOSIMETRIA DA DITADURA E O MENSALÃO 231

26. TODO MUNDO É SALAFRÁRIO? 237

27. CONDENADO SEM DOMÍNIO NEM FATO 247

28. PODEROSOS E "PODEROSOS" NO MENSALÃO 255

29. SÓ O POVO PODE CASSAR SEUS REPRESENTANTES 265

30. A ILUSÃO DO CIPÓ DE AROEIRA 273

31. O RISCO DE BRINCAR COM A CONSTITUIÇÃO 279

32. ARTIGO 55 E DEMOCRACIA 289

33. MARCHADEIRAS DO RETROCESSO 297

34. STF E O PODER MODERADOR DE PEDRO I 305

35. STF E O RISCO DE BANALIZAR O MAL 311

36. TODO MUNDO SABE COMO CERTOS DESASTRES TERMINAM 317

37. O QUE É (MESMO) INTOLERÁVEL E INCOMPREENSÍVEL 327

EPÍLOGO 333
ÍNDICE ONOMÁSTICO 343

Prefácio

Janio de Freitas*

Quase o mensário do mensalão. Desde 2005, portanto desde o começo, Paulo Moreira Leite acompanha como jornalista tudo o que se passou a pretexto do mensalão que nunca foi sequer mensal, quanto mais mensalão.

Está dito ali em cima: "como jornalista". Parece um registro banal, equivalente ao que seria dizer, em outras situações, "como engenheiro", "como advogado", "como médico", e qualquer outra identidade profissional. No caso, porém, "como jornalista" tem um peso especial.

Antes de ser a Ação Penal 470 sob julgamento no Supremo Tribunal Federal, o chamado mensalão já estava sob uma ação penal. Executada na imprensa, na TV, nas revistas e no rádio. Uma ação que mal começara e já chegava à condenação de determinados réus.

Não participar dessa ação penal antecipada deveria ser o normal para todos os jornalistas. Não foi. Isto não quer dizer que os fatos denunciados não fossem graves, nem que entre os envolvidos não houvesse culpados pelos fatos e pela gravidade.

O que houve nos meios de comunicação foi o desprezo excessivo pela isenção. Os comentaristas, com exceções raras, enveredaram por práticas que passaram do texto próprio de comentário jornalístico para o texto típico da finalidade política, foram textos de indisfarçável facciosismo.

Essa prática foi levada também para a internet, onde, porém, os jornalistas profissionais não estão dispensados de sujeitar-se aos princípios universais do jornalismo. O vale-tudo (ainda) permitido na internet é uma espécie de orgia romana das palavras, um formidável porre opiniático. Nada a ver com a relação entre fato, jornalismo e leitor/espectador/ouvinte.

Paulo Moreira Leite ficou como uma das raras exceções referidas. Inclusive na internet. Embora, quando escreveu os artigos deste livro, estivesse na revista *Época*, todos foram feitos para o seu blog "Vamos Combinar — Paulo Moreira Leite". Cedo, já no relatório entregue pela Polícia Federal ao Ministério Público, constatara a disparidade entre as acusações até ali divulgadas e as provas obtidas na investigação policial: aquelas eram bem mais numerosas do que estas.

Discrepância que assumiu também outras formas, inclusive nas relações entre ministros-julgadores, e veio a ser algo como uma constante no julgamento da Ação Penal 470. É dessa matéria-prima que vem este livro.

O blog do Paulo chegou a aumentar a "audiência" em 500% de um dia para o outro. Sucesso que tanto diz a seu respeito como diz dos meios de comunicação convencionais.

Mas não foi a experiência de correspondente brilhante em Paris e em Washington, nem o trabalho inteligente de repórter e em cargos de direção na *Época*, na *Veja*, no *Diário de S.Paulo* que fizeram tal sucesso. Foi, primeiro, o olhar permanente, como ele diz, "com curiosidade e com desconfiança". Depois, não ter medo pessoal e ter independência profissional para expor o que e como viu os fatos e sua tecitura.

Há um preço alto a pagar por isso. Ao lado da compreensão e do aplauso de muitos, a reação dos desagradados com a veracidade jornalística tem mostrado, no decorrer da Ação Penal 470, uma carga de ódio e de ferocidade não perceptíveis desde a ditadura.

Seria mais um efeito do modo prepotente como o julgamento foi impulsionado?

Concluída a fase das condenações, Paulinho — como é chamado pelo saldo de carinho ainda existente nas redações — mudou-se da *Época* para a *IstoÉ*, e seu blog passou do *site* de uma revista para o da outra. Este livro começou no blog e continuará nele. Sob os seus olhos, tenho certeza.

---

* **Janio de Freitas** firmou-se como um dos mais importantes jornalistas brasileiros na década de 1950, ao realizar uma reforma no *Jornal do Brasil* que seria imitada até pelos concorrentes. Em 1987 Janio ganhou o Prêmio Esso de Jornalismo graças a uma reportagem que comprovou um acerto de empreiteiras na licitação da Ferrovia Norte Sul. Em 2012, ano em que completou 80 anos, Janio de Freitas publicou na *Folha de S. Paulo* uma série de artigos que se tornaram leitura obrigatória durante o mensalão.

APRESENTAÇÃO

Provas fracas, penas robustas

Este livro reúne a maioria dos artigos que escrevi durante o julgamento do mensalão, publicados no blog "Vamos Combinar" (*paulomoreiraleite.com.br*). Hospedado desde 2008 no *site* da revista *Época*, agora o blog se encontra no *site* da *IstoÉ*, onde assumi a direção da sucursal de Brasília, em janeiro de 2013.

Elaborados no calor dos acontecimentos, todos os textos sofreram reajustes de forma. Em alguns casos, devidamente assinalados, também fiz alterações mais relevantes de conteúdo, num esforço para incluir fatos novos que surgiram durante o julgamento. A Introdução e a Conclusão são textos inéditos.

Como regra geral, a ideia foi preservar a visão original de cada momento, num esforço para entender como o julgamento evoluiu — e também como evoluiu a percepção de tantas pessoas, a começar pela minha, sobre um episódio que tantos definiram como o "maior escândalo de corrupção da história".

Com 53 sessões e quatro meses de duração, a Ação Penal 470 levou a um dos julgamentos mais longos da história do Supremo Tribunal Federal. Foi o mais midiático desde a invenção da TV — no

Brasil, e possivelmente no mundo, superando mesmo o caso de O. J. Simpson, celebridade da TV americana acusada de assassinar a própria mulher. Três vezes por semana, sempre a partir das duas da tarde, suas sessões eram transmitidas, ao vivo e na íntegra, pela TV Justiça, do Poder Judiciário, e pela Globo News.

À noite, uma seleção de declarações e comentários fortes ilustrava os telejornais. No dia seguinte, o assunto estava na primeira página dos jornais e, no fim de semana, nas capas das revistas semanais. Joaquim Barbosa, relator do caso, tornou-se personagem conhecido nas ruas. Máscaras de seu rosto foram lançadas para o carnaval de 2013. Nas semanas finais do julgamento, jornalistas de vários veículos especulavam sobre a hipótese de Joaquim Barbosa concorrer à Presidência da República — num país onde a oposição ao governo Lula sofreu três derrotas consecutivas desde 2002.

Em dezembro, o instituto DataFolha incluiu o nome de Joaquim Barbosa numa pesquisa de intenções de voto para presidente em 2014. Joaquim recebeu 9%. No mesmo levantamento, tanto Dilma Rousseff como Luiz Inácio Lula da Silva tinham mais de 50%.

A maioria dos meios de comunicação cobriu o julgamento em tom de celebração e cobrança. Quase todos consideravam que a culpa dos réus já fora demonstrada pela CPI dos Correios e pelas investigações posteriores. A versão dos acusados, que sempre se declararam inocentes, raramente foi levada em consideração.

Em agosto de 2007, durante a sessão em que o plenário do Supremo recebeu a denúncia do procurador-geral Antônio Fernando de Souza, o fotógrafo Roberto Stuckert Filho, do Globo, conseguiu flagrar com sua câmara um diálogo entre Ricardo Lewandowski e Carmen Lúcia. Entre os trechos divulgados, Lewandovski afirma que o procurador-geral "está — corretamente — jogando para a plateia," levando Carmen Lúcia a comentar que "é tentativa de mostrar os fatos e amarrar as situações para explicar o que a denúncia não explicou".

A OUTRA HISTÓRIA DO MENSALÃO

Quando Carmen Lúcia comenta que o ministro Eros Grau, que se aposentou em agosto de 2010, havia anunciado que "vai votar pelo não recebimento da denúncia", Lewandowski comenta: "isso só corrobora que houve uma troca. Quer dizer que o resultado desse julgamento era mesmo importante". O ministro prossegue, pouco depois: "Sabia que a coisa era importante, mas não que valia tanto". (Consultor Jurídico, 23/8/2007, acessado em 23/12/2012.) O diálogo sugeriu que a aceitação da denúncia poderia ter outras considerações além do caso do mensalão, mas nada se avançou nesta direção. (*Folha de S. Paulo*, 30/8/2007.)

Uma semana depois daquela conversa, quando a denúncia contra os quarenta réus já fora aceita, a repórter Vera Magalhães, da *Folha de S. Paulo*, conseguiu ouvir parte de um diálogo entre Ricardo Lewandowski, e o irmão, Marcelo. A jornalista encontrava-se no mesmo restaurante de Brasília em que Lewandowski, falando ao celular, comentava o recebimento da denúncia sem dar-se conta de que era ouvido. No dia seguinte, Vera relatou o que ouviu da boca de Lewandowski: "A imprensa acuou o Supremo. Não ficou suficientemente comprovada a acusação. Todo mundo votou com a faca no pescoço".

Ao referir-se a José Dirceu, apontado pelo procurador como "chefe da organização criminosa", Lewandowski lamentou: "a tendência era amaciar para o Dirceu". Numa ocasião em que parecia ter sido perguntado se a mudança tinha a ver com a divulgação do diálogo anterior com Carmen Lúcia, Lewandowski reagiu dizendo: "sem dúvida, sem dúvida". Em 2007, Lewandowski foi o único a divergir do relator Joaquim Barbosa, quanto à imputação do crime de formação de quadrilha contra José Dirceu. Em 2012, Dirceu foi condenado por formação de quadrilha, mas por uma diferença menor, 6 a 4.

Quando o julgamento foi marcado, surgiu, nos meios políticos, uma preocupação sobre o efeito que as decisões do STF teriam sobre o eleitorado que iria votar nas eleições municipais de outubro. Sem disfarçar seu interesse eleitoral, a oposição temia que a decisão se prolongasse muito, impedindo que as condenações tivessem impacto na votação. O

HISTÓRIA AGORA

PT, que se via como a principal vítima de eventuais sentenças duras, apostava na direção contrária. Em 25 junho de 2012, a *Folha de S. Paulo* divulgou uma mensagem do presidente do Supremo Tribunal Federal, Carlos Ayres Britto, cobrando de Lewandowski o cumprimento do prazo para entrega de suas alegações finais. Na condição de revisor, este documento era indispensável para que o julgamento tivesse início. "Presidente do STF advertiu por escrito Lewandowski," escreveu o jornal.

Inconformado com a divulgação de uma mensagem que deveria ser reservada, Lewandowski reagiu: "Sempre tive como princípio fundamental, em meus 22 anos de magistratura, não retardar nem precipitar o julgamento de nenhum processo, sob pena de instaurar odioso procedimento de exceção".

Meu ponto de vista sobre o julgamento do mensalão é conhecido de quem leu o blog. Deve-se aplaudir todo esforço para apurar casos de corrupção num país com um grau histórico de conivência e impunidade. O tráfico de influência, os desvios e abusos são, essencialmente, uma forma de distorcer a vontade popular e alugar o Estado aos interesses de quem pode pagar mais, exercendo um efeito nocivo sobre os regimes democráticos.

Mas a investigação e condenação de toda denúncia deve ser feita de acordo com as regras elementares de funcionamento da Justiça, que não pode admitir condenações sem provas consistentes, nem aceitar práticas seletivas para casos iguais. O acompanhamento do julgamento mostra que é difícil negar que se assistiu a um processo com contradições e incongruências. Em 30 de maio, num texto chamado "Verdades Incômodas sobre o mensalão", eu procurava refletir uma visão bastante comum entre advogados, policiais e autoridades que seguiam o caso de perto. Escrevi: "para quem transformou José Dirceu no cérebro e gênio do mal, a investigação da Polícia Federal é uma decepção. Evitando mencionar hipóteses que estão na mente de muitas pessoas, mas não podem ser comprovadas com fatos, o relatório não apresenta uma linha contra Dirceu".

Já em agosto, o tribunal tomou outra decisão de grande repercussão. Decidiu, por 9 votos a 2, rejeitar uma questão de ordem que previa a separação dos réus em dois grupos: os três parlamentares que teriam direito a Foro Privilegiado, que seriam julgados no STF, e os 35 que teriam direito a um julgamento na primeira instância e a um segundo tribunal, em caso de recurso.

Era um debate pertinente. Meses antes, o mesmo STF já resolvera desmembrar o mensalão do PSDB-MG, o que tornava qualquer decisão diferente sobre o esquema Delúbio Soares-Marcos Valério especialmente problemática. Ao debater o desmembramento, abria-se uma oportunidade de dar um tratamento igual a dois casos muito semelhantes, envolvendo as mesmas empresas, um mesmo grupo de operadores financeiros e a mesma forma de arrecadar e distribuir recursos para partidos políticos.

Essa questão tornou-se ainda mais atual no fim de agosto, quando o novo presidente do Superior Tribunal de Justiça, Felix Fischer, declarou-se favorável a desmembrar o julgamento de outro mensalão, o do DEM-DF.

Numa definição precisa, Janio de Freitas confirmou sua condição de mestre ao escrever: "Dois pesos, dois mensalões", definiu. (*Folha de S. Paulo*, 5 de agosto de 2012.)

O julgamento encerrou-se com 25 condenações e 12 absolvições. Alguns casos me parecem chocantes. O empresário Marcos Valério foi condenado a 40 anos, pena maior do que a de Suzane von Richthofen, que ajudou a matar o pai e a mãe a pauladas. Seu sócio Ramon Hollerbach foi condenado a 29 anos e sete meses e o publicitário Cristiano Paz, a 25 anos e onze meses. José Dirceu foi condenado a 10 anos e 10 meses de prisão, sem que sua participação em episódios criminosos tivesse sido demonstrada com fatos.

Pode-se até imaginar que Dirceu fosse tudo aquilo que o procurador-geral diz que ele era, o "chefe da quadrilha", mas não surgiram fatos objetivos para sustentar esta visão. O principal indício contra José

Genoino, condenado a seis anos e seis meses de prisão, era ter assinado pedidos de falsos empréstimos em nome do partido que presidia. Mas os empréstimos eram verdadeiros, sustenta investigação da Polícia Federal, derrubando a análise do Procurador-Geral da República. Em outra contradição, o PT não só pagou os empréstimos devidos, mas fez negociações supervisionadas e aprovadas pela Justiça.

O debate sobre a dosimetria das penas deixou claro que havia a preocupação de impedir que determinados réus pudessem beneficiar-se do direito à prescrição ou mesmo de usufruir de regimes semiabertos, atitude estranha diante da isenção e do equilíbrio que se espera de uma decisão da Justiça.

Antes de o julgamento começar, os advogados de defesa eram mais otimistas. Eles julgavam que seria possível contar com uma bancada de ministros convencidos de que a denúncia não possuía provas consistentes para condenar réus de maior importância política. Essa visão se explica por um erro de cálculo. Eles contavam com votos que não vieram para o seu lado. Um deles era de Luiz Fux, o primeiro ministro indicado por Dilma Rousseff para integrar o STF.

Em reportagem de Mônica Bergamo, descreve-se a verdadeira campanha de Luiz Fux para obter a vaga, num esforço iniciado ainda no último ano do governo Lula. Trechos:

"Naquele último ano de governo Lula, era tudo ou nada.

Fux 'grudou' em Delfim Netto. Pediu carta de apoio a João Pedro Stedile, do MST. Contou com a ajuda de Antonio Palocci. Pediu uma força ao governador do Rio, Sergio Cabral. Buscou empresários.

E se reuniu com José Dirceu, o mais célebre réu do mensalão. 'Eu fui a várias pessoas de SP, à Fiesp. Numa dessas idas, alguém me levou ao Zé Dirceu, porque ele era influente no governo Lula.'"

O ministro diz não se lembrar quem era o "alguém" que o apresentou ao petista.

Fux diz que, na época, não achou incompatível levar currículo ao réu de processo que ele poderia no futuro julgar. Apesar da superexposição de Dirceu na mídia, afirma que nem se lembrou de sua condição de "mensaleiro".

"Eu confesso a você que naquele momento eu não me lembrei", diz o magistrado. "Porque a pessoa, até ser julgada, ela é inocente."

Ele diz que, já no governo Dilma Rousseff, no começo de 2011, ainda em campanha para o STF (Lula acabou deixando a escolha para a sucessora), levou seu currículo ao ministro da Justiça, José Eduardo Cardozo. Na conversa, pode ter dito "mato no peito".

Folha — **Cardozo não perguntou sobre o mensalão?**

Não. Ele perguntou como era o meu perfil. Havia causas importantes no Supremo para desempatar: a Ficha Limpa, [a extradição de Cesare] Battisti. Aí eu disse: "Bom, eu sou juiz de carreira, eu mato no peito". Em casos difíceis, juiz de carreira mata no peito porque tem experiência.

Cardozo saiu da conversa convencido de que a expressão "mato no peito" se referia a mensalão, também. A mesma impressão tiveram outros interlocutores de Fux, inclusive José Dirceu. (*Folha de S. Paulo*, 2/12/2012.)

Como jornalista, sempre defendi que os fatos fossem investigados e os responsáveis, punidos — caso sua culpa fosse devidamente demonstrada. Ao lado de outros jornalistas e autoridades, em agosto de 2005, escrevi um artigo onde dizia que o presidente Luiz Inácio Lula da Silva deveria ir à TV dar explicações à população, o que acabou acontecendo.

Minha experiência na cobertura de escândalos que tiveram início bem antes da chegada de Lula ao governo ensinou que a corrupção não deixa rastros nem emite recibo. Essa circunstância, se exige cuidados especiais numa investigação, não pode dispensar, porém, a apresentação de indícios múltiplos e consistentes, que vão além da simples suspeita, da tese construída a partir de uma visão concebida anteriormente — que

HISTÓRIA AGORA

pode ser útil para iniciar uma apuração, mas não pode ser mantida se não for capaz de resistir aos argumentos e contraprovas da defesa.

Caso contrário, pode-se chegar à condenação com base em ilações, em argumentos na linha de "não é plausível", ou "não poderia ser de outra forma" ou mesmo: "nós sabemos que era assim".

A teoria do "domínio do fato", apresentada pelo procurador-geral, e que está longe de ser uma jurisprudência aceita de modo unânime por juristas, procura apontar responsabilidades invisíveis em organizações hierarquizadas, onde funciona uma disciplina de tipo militar. Pressupõe que seja possível demonstrar que o chefe de uma organização criminosa tem controle efetivo de todas as etapas do processo. Isso não me parece ter sido demonstrado pelas investigações.

Os negócios escusos que foram apontados como a contrapartida prometida ao esquema não se efetivaram. A quebra de sigilo telefônico não levou a nenhuma conclusão contrária aos réus. O fim da intervenção do Banco Mercantil de Pernambuco, que seria a grande retribuição do PT ao Banco Rural, braço financeiro do esquema, só se concretizou depois que o governo Lula já havia acabado, José Dirceu já havia deixado a Casa Civil e tivera o mandato cassado. Os rendimentos gerados pelo fim da intervenção não chegaram a um décimo daquilo que seriam os ganhos espetaculares do negócio.

Num julgamento de Direito Penal, ensinam os especialistas, o risco de perda de liberdade recomenda um cuidado particular em relação aos acusados.

Os juristas e professores ensinam que neste tipo de denúncia, onde está em jogo o bem maior da existência humana, deve funcionar a regra de que todos são inocentes até que se prove o contrário.

Avaliando o julgamento já em sua fase final, o professor Claudio José Lagroiva Pereira, Professor Doutor de Direito Penal da PUC de São Paulo, explicou:

> "Ainda que a sociedade esteja empolgada com a 'moralização política', a perspectiva de um futuro sem corrupção e sem

abuso de poder político não nos parece clara. Ao menos no âmbito jurídico, não podemos afirmar que estamos trilhando o caminho mais adequado para a solução dos problemas criminais, particularmente no que se refere ao ônus da prova."

Durante o julgamento do mensalão, os ministros adotaram os mesmos parâmetros do processo civil em relação à prova dos fatos. Coube à acusação provar os fatos que constituem o seu direito, conforme apresentados na denúncia. Já à defesa, a obrigação de provar fatos que impediam, modificavam ou extinguiam o direito da acusação.

Ocorre que, no processo penal, prevalece o princípio constitucional da presunção de inocência e o *in dubio pro reo* (havendo dúvidas, prevalece a interpretação mais favorável ao acusado). ("Mensalão — Confronto nos Tribunais.")

Luiz Moreira Junior — professor e doutor em Direito pela Universidade Federal de Minas Gerais, e que por dois anos representou o Congresso Nacional no Conselho Nacional do Ministério Público, sendo reeleito pela Câmara de Deputados para um novo mandato, necessário para a confirmação do Senado — fez uma crítica mais severa. Num artigo intitulado "Julgamento de Exceção", Moreira sustenta:

"Por diversas vezes se disse que as provas eram tênues, que as provas eram frágeis. Como as provas não são suficientes para fundamentar condenações na seara penal, substituíram o dolo penal pela culpa do direito civil. A inexistência de provas gerou uma ficção que se prestou a criar relações entre as partes de modo que se chegava à suspeita de que algo houvera ali. Como essa suspeita nunca se comprovou, atribuíram forma jurídica à suspeita, estabelecendo penas para as deduções. Com isso bastava arguir se uma conduta era possível de ter sido cometida para que lhe fosse atribuída veracidade na seara penal. As deduções realizadas são próprias ao que no direito se chama responsabilidade civil, nunca à demonstração do dolo, exigida no direito penal, e que cabe exclusivamente à acusação." (*site* Brasil 247, 31/10/2012.)

Um aspecto importante é que os ministros não levaram em consideração contraprovas exibidas pela defesa. Tentando demonstrar a existência de uma "quadrilha" dentro do PT e do governo Lula, a acusação não conseguiu apontar um único caso de enriquecimento ilícito dos réus, embora tenha quebrado o sigilo bancário e fiscal dos suspeitos.

A acusação também não respondeu a depoimentos desfavoráveis a seu ponto de vista, deixando de lado dados e argumentos que não convinham à sua tese.

Para Cláudio José Pereira, "as decisões que acolhem uma relativização de provas indiciárias, para alcançarem a condenação na ação penal, mostram-se como uma sombria realidade para o futuro do processo penal no país".

2

Numa postura que levou muitos observadores a sustentar que ele atuou como um segundo procurador, e não como um juiz, Joaquim Barbosa estruturou seu voto de forma fatiada, recurso que privilegia a acusação em vez de assegurar um terreno balanceado e equilibrado para os debates. Demonstrava irritação, impaciência e mesmo intolerância diante das divergências exibidas pelo ministro-revisor Ricardo Lewandowski, quando este cumpria o papel de fazer um segundo exame das conclusões apresentadas pelo relator e discordava dele.

"Desde as primeiras manifestações de inconformismo com o parecer do revisor da matéria, ministro Ricardo Lewandowski, a sua atuação (de Joaquim Barbosa) destoa do que se espera de um membro da mais alta Corte de Justiça do País, ainda mais quando os seus trabalhos podem ser acompanhados ao vivo por todos quantos por eles se interessem. Em vez da serenidade — que de modo algum exclui a defesa viva e robusta de posições, bem assim a contestação até exuberante dos argumentos contrários —, o ministro como que se esmera em levar 'para dentro das famílias' um espetáculo

A OUTRA HISTÓRIA DO MENSALÃO

de nervos à flor da pele, intolerância e desqualificação dos colegas." (Editorial do *Estado de S. Paulo*, 9/11/2012.)

Por envolver sócios de um banco, ministros e políticos de projeção, o julgamento permitiu que a condenação de personalidades públicas fosse associada a uma vitória inédita sobre a corrupção e, mais importante, a um esforço para mostrar que ricos e poderosos agora não estão a salvo da Justiça. É uma preocupação compreensível, já que há muito tempo o conjunto das decisões do Poder Judiciário tem um componente social reconhecido por todos.

No início da década de 1990, um levantamento do Conselho de Política Penitenciária e Criminal do Ministério da Justiça mostrou que, entre 126.000 encarcerados no país, 93% são pobres, e, deles, 95% não têm dinheiro para pagar advogado. ("Acesso à Justiça", Alberto Luís Marques dos Santos, Escola da Magistratura do Paraná, 1993.) Um levantamento publicado por *Veja* no mesmo período mostrava que, para 80% da população a Justiça trata ricos e pobres de forma diferente. (*Veja*, 24/03/94.)

O julgamento da Ação Penal 470 condenou sócios e executivos do Banco Rural e das agências de publicidade ligados de forma permanente ao esquema financeiro do PT. Um ministro, José Dirceu, foi condenado a 10 anos e 10 meses. Outro, Luiz Gushiken, sentou-se no banco dos réus antes de ser absolvido. Isso nunca havia acontecido.

Mas o julgamento deixou de lado empresas e grupos econômicos que fizeram contribuições ao esquema, tão condenáveis, do ponto de vista legal, como os primeiros, pois em todos os casos pode-se alegar que se buscava comprar favores e atenções especiais do governo. A CPMI dos Correios apontou sete empresas privadas que contribuíram com R$ 200 milhões para as empresas de Marcos Valério. Nenhum de seus executivos foi indiciado na Ação Penal 470.

Num exemplo curioso, o deputado Roberto Brant (DEM-MG), recebeu R$ 100 mil do esquema de Valério para sua campanha eleitoral. Brant foi julgado e absolvido pelo voto dos parlamentares mas, desiludido com o que definiu uma "perseguição injusta" baseada em "falsos moralismos", abandonou a vida pública. A empresa que deu a contribuição por intermédio de Valério não foi indiciada.

Sem julgar o mérito deste caso específico, cabe registrar a regra geral. Este tratamento mostra a manutenção de um comportamento convencional. As autoridades acusadas como corruptas foram julgadas e condenadas, mas se manteve uma postura de tolerância em relação a possíveis corruptores, que têm poder para tentar dobrar o Estado a seus interesses.

O longo histórico de impunidade da justiça brasileira costuma beneficiar grandes potentados privados, mas jamais chegou ao cidadão comum, especialmente o pobre. Tampouco lideranças vinculadas ao movimento popular ou às mobilizações dos trabalhadores, muitas delas na origem do Partido dos Trabalhadores costumam ser poupadas. Contra estes, sempre pesou a mão dura e inclemente do Estado. Condenada porque uma empresa da prefeitura de São Paulo pagou anúncios de apoio a uma greve geral durante seu mandato, Luiza Erundina foi obrigada a fazer uma coleta entre amigos e aliados políticos para recuperar bens bloqueados pela Justiça.

O horizonte da Ação Penal 470 não considerou as incongruências da lei eleitoral em vigor, quando se sabe que as regras para coleta e distribuição de recursos financeiros constituem uma janela aberta para lobistas que atuam nos bastidores do Estado.

Numa democracia de massa, as eleições envolvem somas imensas de recursos. Os partidos políticos são máquinas profissionalizadas, com despesas com aluguel de sedes nacionais e diretórios municipais, funcionários, cabos eleitorais, formação de militantes, verbas de publicidade, viagens e assim por diante.

O sistema atual, que cria eleitores que valem um voto e outros que valem 1 bilhão de reais, gera distorções típicas de um poder político que pode ser alugado por quem pode pagar mais, num universo pelo qual circulam recursos legais, com origem declarada;

verbas clandestinas, de empresas que não querem assumir seus donativos em público; e recursos de corrupção, desviados do Estado.

A denúncia do mensalão tampouco reconheceu, em nenhum momento, que estava diante de desvios muito semelhantes aos que são praticados por outros partidos. Sempre se procurou desmentir uma afirmação de Luiz Inácio Lula da Silva, em sua primeira entrevista sobre o mensalão, quando declarou: "O que o PT fez do ponto de vista eleitoral é o que é feito no Brasil, sistematicamente".

O que se tentou, desde a CPMI dos Correios, foi apontar para um caso único, um escândalo, "o maior da história", diferente dos outros, porque envolvia a "compra" de voto, a "compra" de consciências, o "suborno". Segundo a denúncia, os partidos da base do governo — a começar pelo PT — se estruturaram como quadrilhas, que são organizações destinadas a praticar crimes e sobrevivem graças a eles.

O fio condutor deste raciocínio é uma tentativa de redefinir o debate político. Incapazes de oferecer respostas à desigualdade, à má distribuição de renda e outras dificuldades estruturais que mobilizam a maioria da população brasileira, os partidos que fazem oposição ao governo Lula e ao PT tentam conduzir o debate para o terreno de valores éticos.

Estamos falando de uma questão essencial à vida de todos os brasileiros, que jamais compactuaram com irregularidades e desvios de conduta, mas que não pode ser conduzida de forma seletiva, ao sabor das conveniências de momento.

Os riscos de criminalizar os políticos e seus partidos são conhecidos no mundo inteiro e alimentaram diversos movimentos autoritários e golpes de Estado das sociedades contemporâneas. Empregam-se valores morais como atalho para romper a ordem democrática.

Em nome do combate à subversão e à corrupção, um dos principais líderes civis do golpe de 64, Carlos Lacerda, pregava a destituição de um governo constitucional, de João Goulart, quando era

HISTÓRIA AGORA

um fato sabido e apurado por uma CPI da Câmara de Deputados que a CIA havia alimentado as campanhas dos parlamentares que faziam oposição a Jango.

Em 2012, quando a criminalização chegou à campanha municipal, sendo usada para atingir Fernando Haddad, candidato petista em São Paulo, o articulista Demétrio Magnoli, insuspeito de simpatias pelo PT, esclareceu:

"Na democracia, não se acusa um dos principais partidos políticos do País de ser uma quadrilha. O PT não é igual à sua direção eventual, nem é uma emanação da vontade de Dirceu ou mesmo de Lula. O PT não se confunde com o que dizem seus líderes ou parlamentares em determinada conjuntura, nem mesmo com as resoluções aprovadas nesse ou naquele encontro partidário. Embora tudo isso tenha relevância, o PT é algo maior: uma história e uma representação. A trajetória petista de mais de três décadas inscreve-se no percurso da sociedade brasileira de superação da ditadura militar e de construção de um sistema político democrático. O PT é a representação partidária de uma parcela significativa dos cidadãos brasileiros. A crítica ao partido e às suas concepções políticas não é apenas legítima, mas indispensável. Coisa muito diferente é tentar marcá-lo a fogo como uma coleção de marginais. O jogo do pluralismo depende do respeito à sua regra de ouro: a presunção de legitimidade de todos os atores envolvidos." (*Estado de S. Paulo*, 25/10/2012.)

3

Em 1992, o Senado brasileiro cassou os direitos políticos do presidente Fernando Collor de Mello, denunciado por um esquema de corrupção. Collor renunciou ao mandato presidencial, perdeu os direitos políticos por decisão do Congresso e foi levado a julgamento criminal pelo STF. A Corte de Justiça concluiu que o ex-presidente deveria ser absolvido por falta de provas válidas.

Para chegar a esta decisão, o Supremo descartou provas importantes. Uma delas era um disquete encontrado nos escritórios do tesoureiro PC Farias, que identificava tanto as empresas doadoras do esquema financeiro como as obras que lhes eram destinadas. O STF concluiu que o disquete fora obtido de forma ilegal — a Polícia não tinha mandado para abrir os arquivos do computador da empresa do tesoureiro — e considerou que Collor não podia ser condenado, pois a Polícia não respeitara o direito à privacidade de PC Farias. Ficou faltando o "ato de ofício."

A denúncia contra Collor era que ele recebia dinheiro clandestino de grandes empresas e retribuía o pagamento com obras superfaturadas em licitações arranjadas.

Em 2012, nunca apareceu prova de que um único entre os 380 parlamentares da sempre instável base governista tivesse mudado de lado em troca de dinheiro. O próprio Roberto Jefferson, que denunciou o mensalão, fez afirmações ambíguas e contraditórias longe dos holofotes. Falando à Polícia Federal, chegou a usar a expressão "criação mental" para referir-se ao mensalão. Mas nem Jefferson admitiu que foi subornado. Talvez fosse só orientação de advogado. Talvez Jefferson não considerasse que estava recebendo proprina quando negociava apoio político.

Em 1997, surgiu a confissão gravada de um deputado, dizendo que embolsara R$ 200 mil para apoiar a reforma constitucional que autorizou Fernando Henrique Cardoso a disputar um segundo mandato. Mas o fato foi considerado tão pouco relevante, que o Procurador-Geral da República da época mandou arquivar a denúncia sem qualquer investigação.

Durante sete anos de investigação, não se encontrou nada semelhante no esquema Delúbio Soares-Marcos Valério.

HISTÓRIA AGORA

Apresentado como prova filmada da corrupção do governo, o célebre vídeo onde um executivo dos Correios ligado a Roberto Jefferson aceita R$ 3 mil de um empresário que se diz interessado em fazer negócios com a empresa estatal não pode ser julgado por seu valor de face. Os "empresários" são cidadãos que ganham a vida fazendo pequenos serviços de espionagem industrial em Brasília. O vídeo é um teatro conhecido como "flagrante forjado" que iria servir, mais tarde, como denúncia e como chantagem. Roberto Jefferson tinha razão em denunciar o vídeo como "armação". Mas estava errado ao tentar identificar seus autores.

Nenhuma pista levou a José Dirceu, embora o vídeo tenha motivado a denúncia de Jefferson contra o então ministro da Casa Civil.

As tentativas de apontar casos de "compra de votos" envolvem hipóteses que ficaram por demonstrar. Algumas são possíveis, outras infantis, e algumas absurdas. Muitas se baseiam em juízos políticos. Imagina-se que, para aprovar a reforma da Previdência, que causou revolta em suas bases mais tradicionais de eleitores, o PT não tivesse alternativa senão colocar a mão no bolso e subornar deputados.

Ignoram-se dois dados banais sobre a realidade política brasileira e universal. O primeiro é que a reforma da Previdência fazia parte da agenda da oposição, que iria suprir o governo com os votos necessários a um projeto que fazia parte de seu programa histórico. Entre os parlamentares que ajudaram na aprovação do projeto, encontram-se lideranças alinhadas com as principais correntes do PSDB, como Alberto Goldman e Jutahy Junior, de linhagem serrista, e também Julio Semeghini, ligado a Geraldo Alckmin.

Outro aspecto reside na história dos partidos políticos. Entre a poesia da campanha e a dura realidade do governo, não há governante que não tenha sido capaz de abandonar promessas de palanque. A agenda que o PT assumiu, a partir de 2003, era a versão local de uma autorreforma semelhante à promovida pela Social-Democracia alemã, quase na mesma época. Não é muito diferente de mudanças de perspectiva que outros partidos de base operária realizaram ao longo de décadas, no mundo inteiro, assim que chegaram ao governo.

A reconstituição dos debates políticos daquele período mostra que o PT não estava procurando apoio para a reforma da Previdência. Na verdade, até expulsava do partido quem não estivesse de acordo, tamanha era a confiança no poder de fogo de sua base. Os dissidentes deixaram o PT para fundar o PSOL, que logo estaria integrado à oposição. A atuação de sua principal liderança, Heloísa Helena, na CPMI dos Correios foi enfática e combativa. Em 2012, no segundo turno da eleição municipal em São Paulo, o candidato do PSOL à presidência, Plínio de Arruda Sampaio, pediu votos para José Serra.

Ao insistir em sua denúncia de "compra de consciências" a acusação agia como se integrantes de um partido que só chegou ao Planalto na sua quarta eleição presidencial não tivessem capacidade de raciocinar politicamente, planejar o futuro, examinar perdas e calcular ganhos de curto e de longo prazo.

A tese da acusação, de que os empréstimos do Banco Rural para as agências de Marcos Valério não passavam de uma fraude, fora anunciada durante a CPMI dos Correios, mas acabou contrariada pela investigação da Polícia Federal. Examinando a movimentação financeira, os policiais concluíram que aquela suspeita dos parlamentares não tinha fundamento. Descobriram que os empréstimos eram reais e envolveram a entrega de recursos para os operadores do PT. Eles se convenceram de que o dinheiro saía do banco, chegava às contas do esquema e era distribuído.

Em nenhum momento a acusação levou esta apuração da Polícia Federal em consideração nem procurou respondê-la de forma detalhada e cuidadosa durante o julgamento.

Ao debater um assunto banal no mercado publicitário como a "bonificação por volume", a acusação deixou claro que não possuía um conhecimento perfeito do assunto. Na fase de interrogatórios, executivos dos meios de comunicação chegaram a prestar esclarecimento

HISTÓRIA AGORA

sobre o chamado "BV", que é uma remuneração entregue às agências em função do volume de anúncios que se comprometem a veicular. A acusação dizia que as agências de Marcos Valério haviam sido favorecidas pelo uso indevido da bonificação em seus contratos com o governo. Sem entrar no caso específico do mensalão, Otávio Florisbal, que era o Diretor-Geral da TV Globo na época, prestou um depoimento esclarecedor ao ser ouvido no Tribunal Federal da Segunda Região. Deixou claro que a "bonificação por volume" era um direito da "agência" e que jamais deveria ser devolvido ao anunciante, como queria a acusação. Flosrisbal lembrou que esse entendimento, já antigo, era reconhecido "como válido" pelo mercado e fora referendado no IV Congresso Brasileiro de Publicidade. (Transcrição Fonográfica do depoimento ao Tribunal Federal da 2a. Região, 12/05/2012.)

Um ponto essencial envolve a natureza dos recursos que alimentaram o mensalão. Se foram recursos privados, fica reforçado o argumento da defesa, para quem o mensalão distribuía verbas de campanha eleitoral, que costumam chegar a seus destinatários sem origem declarada, nos vários esquemas que se designa como caixa 2. Se foram recursos públicos, fica possível sustentar o crime de peculato.

O debate sobre o caráter "público" ou "privado" dos recursos extraídos do Fundo de Incentivo do Visanet, empresa criada para divulgar a marca Visa no país, apontada no julgamento como origem de boa parte do dinheiro, divide e confunde interessados. Em princípio, há argumentos aceitáveis para os dois pontos de vista. Criado por uma empresa, a Companhia Brasileira de Meios de Pagamento — Visanet, o Fundo era partilhado pelo Banco do Brasil, Bradesco e outras instituições que operam a marca do cartão de crédito Visa.

O procurador Roberto Gurgel sustentou o ponto de vista de que houve desvio de recursos públicos porque o Banco do Brasil sempre teria ganhos e perdas conforme o saldo das operações. Se havia desvios, o prejuízo acabaria, cedo ou tarde, repercutindo nos cofres do Banco, diz a acusação.

A OUTRA HISTÓRIA DO MENSALÃO

O problema é que o próprio Banco do Brasil rejeita "a interpretação de que tais recursos poderiam ter natureza pública". Um argumento básico é que se trata de uma empresa de economia mista, não estatal.

Mas, mesmo que se ignore esta distinção, é preciso reconhecer que os recursos usados na promoção do cartão de crédito não pertenciam ao banco. O regulamento que criou o Fundo de Incentivo Visanet estabelece com todas as letras que a CBMP "sempre se manterá como legítima proprietária do Fundo, devendo os recursos serem destinados exclusivamente para ações de incentivo, não pertencendo os mesmos ao BB Banco de Investimento e nem ao Banco do Brasil". Ainda segundo auditoria do próprio banco, o mesmo regulamento previa que "as despesas com as ações seriam pagas diretamente pelo Visanet" às agências executoras do projeto ou reembolsadas pelo incentivador. Detalhando a operação de entrada e saída de recursos, em que seria possível imaginar a ocorrência de desvios, a auditoria afirma que "o Banco optou pela forma de pagamento direto, por intermédio da CBMP, a empresa fornecedora, *sem trânsito* (o grifo é meu) dos recursos pelo BB". ("Síntese do Trabalho de auditoria" João Leone Parada Franch, Guilherme Brian, auditores, ofício número 100/p, de 11 de janeiro de 2006.)

Outro ponto a esclarecer envolve o total de recursos — fossem "públicos" ou "privados". Na peça de acusação, o procurador-geral Roberto Gurgel disse que a soma de recursos das propinas do mensalão era de R$ 141 milhões. (Notícias R7, Blog Christina Lemos, 30/7/20120.) Durante o julgamento, os ministros estimavam que era R$ 150 milhões. Também se falou em R$ 73,8 milhões.

Nenhuma auditoria oficial apontou para desvios nos recursos destinados às campanhas de divulgação do Visanet. O número de R$ 73,8 mi nada mais é do que a soma de recursos recebidos pela DNA, uma das agências de Valério. Para aceitar esta contabilidade é preciso imaginar que a DNA desviava 100% dos recursos recebidos, hipótese absurda.

HISTÓRIA AGORA

Com base nos arquivos do processo, o jornalista Raimundo Pereira, da revista *Retrato do Brasil*, encontrou documentos que sustentam que o dinheiro foi gasto conforme se deveria. São centenas de notas fiscais, empenhos e anúncios. São provas contábeis, é certo.

Sempre é possível supor que nem todo dinheiro declarado tenha tido o destino presumido. Os truques para maquiar um desfalque são um recurso conhecido em todo o mundo. Está longe de ser uma novidade no Estado brasileiro.

Mas para sustentar que houve superfaturamento é preciso apontar os desvios e informar como eles se produziram. Uma auditoria interna apontou para desvios irrisórios, entre 0,1% e 0,2%, que podem ser frutos de eventuais erros contábeis. Isso explica, talvez, porque nem o Banco do Brasil nem o Visa tenham entrado com pedido de ressarcimento contra eventuais responsáveis.

A Polícia Federal fez uma investigação na etapa seguinte, depois que o dinheiro havia saído do Visanet e chegara às contas da DNA. A partir desta hipótese, foram comparados três números: o dinheiro que entrou nas contas da DNA; aquele total que, comprovadamente, foi gasto em campanhas do Visanet; e recursos sacados diretamente das contas da agência, em dinheiro vivo, por funcionários da DNA.

O resultado aponta para um desvio real — na conta da DNA — de R$ 7 milhões, soma inferior a 10% dos R$ 73,8 milhões que a agência recebeu. Para chegar ao desvio, os policiais rastrearam saques em dinheiro vivo feitos por funcionários subalternos da agência.

Para além da quantia envolvida, fica a pergunta: seriam, *ainda*, recursos públicos?

4

Em vários momentos, ouviu-se no tribunal a frase "a Constituição é aquilo que o Supremo diz que ela é".

A OUTRA HISTÓRIA DO MENSALÃO

A afirmação é inspirada em Oliver Wendel Holmes, juiz da Suprema Corte dos Estados Unidos entre 1902 e 1932 e um dos mais influentes juristas americanos. Holmes disse certa vez que "a lei é aquilo que os tribunais dizem que é". Ele formulou este raciocínio quando julgava uma disputa entre patrões e empregados em torno de uma legislação que estabelecia o limite de 60 horas semanais para a jornada de trabalho. Os empresários queriam derrubar o limite, exigido pelos sindicatos, com o argumento que não cabia ao Estado definir relações de trabalho. Holmes, que ficou em minoria naquele debate, argumentou que o Estado tinha o dever de proteger a saúde dos norte-americanos, e que a jornada de trabalho era uma medida nessa direção.

Para evitar mal-entendidos a respeito de sua visão da Justiça, no entanto, o próprio Oliver Holmes fazia questão de moderar o espírito voluntarioso que aquele seu voto poderia sugerir. O desembargador Névinton Guedes, do Tribunal Regional Federal da 1ª Região e doutor em Direito pela Universidade de Coimbra, recorda que Holmes foi um dos patronos da noção de autocontenção judicial, pela qual os juízes deveriam fazer o possível para aplicar a lei em vez de tentar fazer justiça. "Conta-se que Holmes, comprovando seu apego à autocontenção judicial (*judicial self-restraint*), cansado da retórica de um jovem bacharel, que insistia em que a Corte desconsiderasse o que expressamente dispunha a lei e 'fizesse justiça', teria interrompido a oratória do inexperiente jurista para adverti-lo de que estava num tribunal onde se aplicava o direito, e não onde se 'fazia justiça': 'Meu jovem, este é um tribunal **de direito**, não uma corte **de justiça**'"[4]. (Consultor Jurídico, 23/7/2012, acesso em 19/12/2012.)

Em nova contribuição ao mesmo debate, Névinton Guedes recordou uma diferença de natureza histórica, muito útil para comparar o célebre ativismo constitucional norte-americano e sua versão brasileira. É que os juristas da Suprema Corte dos Estados Unidos têm a obrigação, inescapável, de atualizar um texto escrito como regra fundamental de um mundo que não existe mais — a sociedade de pioneiros que proclamou a Independência, em 1787, e o mundo do século XXI. A Constituição americana é um texto que definiu a origem das leis de uma sociedade que levaria 80 anos para abolir a escravatura, quase um século e meio para reconhecer direitos dos trabalhadores e quase 200 anos para reconhecer os direitos das mulheres. Neste caso, o ativismo e a mudança nem sempre são uma opção dos juízes — são uma necessidade. Um caso bem diferente, contudo, é o da Constituição brasileira, aprovada em 1988, contemporânea de sua sociedade, atualizada, eleita e aprovada por métodos democráticos.

Outro crítico dessa visão autossuficiente do Poder Judiciário é Lênio Luiz Streck, membro do ministério público do Rio Grande do Sul. No artigo "O passado, o presente e o futuro do STF em 3 atos", que contém referências diretas ao mensalão, Streck sustenta:

"Devemos debater isso no seio da doutrina brasileira. Afinal, por ocasião do julgamento do mensalão, várias vezes (ou)vimos ministros falarem do primado da 'livre apreciação da prova' e/ou do 'livre convencimento'. Claro que a maior parte da comunidade jurídica quedou-se silente, embora grande parte dela tenha sido derrotada, simbolicamente, no aludido julgamento."

Em outro trecho, do mesmo artigo, Streck recorda a lição de que "não importa o que o juiz pensa; não importa a sua subjetividade. Suas decisões devem obedecer à integridade e a coerência do Direito". Mesmo admitindo que um juiz não é "um alface", mas um ser humano dotado de raciocínio, memória e convicções, Streck acrescenta:

"Na democracia, as decisões não podem ser fruto da vontade individual ou da ideologia ou, como queiram, da subjetividade do julgador. A primeira coisa que se deveria dizer a um juiz, quando ele entra na carreira é: Não julgue conforme o que você acha ou pensa. Julgue conforme o Direito. Julgue a partir

de princípios e não de políticas. Aceitar que as decisões são fruto de uma 'consciência individual' é retroceder mais de 100 anos. E é antidemocrático. O direito depende de uma estrutura, de uma intersubjetividade, de padrões interpretativos e não da 'vontade'."
(Consultor Jurídico, 15/11/2012, acesso em 17/12/2012.)

Dentro e fora do tribunal, ocorreram diversos episódios de caráter político que tiveram impacto sobre o julgamento. Um encontro de Lula, Gilmar Mendes e o ex-ministro Nelson Jobim, em abril, transformou-se num desastre político para os acusados. A conversa nem sequer chegara aos jornais até que, um mês depois, uma reportagem da *Veja* sustentou que Lula tentara convencer Gilmar Mendes a adiar o julgamento, para uma data posterior às eleições municipais. Também teria ameaçado, segundo a revista, mobilizar a bancada de parlamentares do PT e a rede social ligada ao partido para comprometer Gilmar com o senador Demóstenes Torres, apanhado na rede de amigos do contraventor Carlos Augusto Ramos, o Carlinhos Cachoeira.

Gilmar Mendes confirmou com nuances o teor geral da reportagem depois de publicada, mas os dois interlocutores presentes ao encontro sustentam — de modo categórico — uma versão oposta. Lula divulgou nota em que desmentia Gilmar.

Amigo e aliado de Gilmar no tempo em que ambos ocupavam cargos de confiança no governo de Fernando Henrique Cardoso, Jobim assegura que o encontro ocorreu num ambiente de cordialidade. Confirma que se falou sobre o julgamento, sobre a coincidência com as eleições. Recorda que Lula declarou-se preocupado com as datas, mas o fez com a mesma naturalidade que Gilmar exibiu ao falar de assuntos internos do Supremo, sem ameaças nem duplos sentidos. Descreve um encontro entre pessoas amigas, que falam livremente sobre assuntos do momento, sem receio de serem mal interpretadas.

Jobim recorda que Lula pediu o encontro para retribuir uma gentileza de Gilmar. Nas semanas mais difíceis de tratamento do câncer na laringe, o ministro do STF tentara falar com Lula ao telefone, mas, ocupado em sucessivos tratamentos, não pudera ser atendido. Para Jobim, o ambiente era tão amigável, que Gilmar chegou a deixar um presente para dona Marisa Letícia, mulher de Lula. Para Jobim e Lula, nas semanas seguintes o ministro foi alvo de intrigas de adversários políticos, que asseguravam que os petistas estavam orquestrando um ataque a Gilmar, na CPI e nas redes sociais. Essa hipótese é que teria levado o ministro do STF a reinterpretar toda a conversa como uma forma de chantagem — em vez de um encontro de amigos. (Entrevista de Nelson Jobim ao autor, dezembro de 2012.)

Antes do episódio, os petistas chegaram a supor que Gilmar, ministro de convicções garantistas, ou seja, que costuma dar prioridade aos direitos e garantias dos réus, poderia exibir uma postura de resistência diante das teses mais duras da acusação. Depois do episódio, essa esperança desapareceu.

Durante o julgamento, manifestações de caráter político se acentuaram. O presidente do STF, Carlos Ayres Britto, disse que o esquema financeiro do PT era um golpe na vontade do eleitor, fruto de um estilo "catastrófico" de fazer política — avaliação que pode ser discutida no Congresso, nas universidades, nos jornais, academias, mas que chama atenção num julgamento de direito penal.

"[O objetivo do esquema era] um projeto de poder quadrienalmente quadruplicado. Projeto de poder de continuísmo seco, raso. Golpe, portanto", afirmou Ayres Britto. (Observador Político, 10/10/2012, acessado em 1/12/2012.)

Em companhia de Marco Aurélio Mello, durante o julgamento Joaquim Barbosa fez vários comentários irônicos sobre o PT e os petistas — num período em que os 100 milhões de brasileiros se preparavam para tomar o caminho das urnas nas eleições municipais.

Consultado, o Procurador-Geral chegou a dizer que consideraria "saudável" que o julgamento tivesse impacto na votação.

No final de outubro, Marco Aurélio Mello foi ao programa de Kennedy Alencar, na Rede TV. Entre várias questões, Kennedy perguntou como o ministro avaliava a "ditadura militar de 1964":

– Um mal necessário, tendo em conta o que se avizinhava, respondeu o ministro.

– O senhor acha que havia ali o risco de uma ditadura comunista, como algumas pessoas falam?

– Teríamos que esperar para ver. Foi melhor não esperar — respondeu Marco Aurélio. (Rede TV, 23/10/2012.)

No fim, acumulando a presidência do Tribunal com a relatoria do caso, Joaquim Barbosa defendeu que o Supremo definisse a cassação do mandato de três parlamentares condenados, medida que também iria alcançar um quarto deputado, José Genoino.

Quando o assunto chegou ao plenário do Supremo, a ministra Rosa Weber, num voto impecável, explicou que estava em debate o artigo 1º da Constituição. Este artigo define que "todo poder emana do povo, que o exerce por meio de seus representantes eleitos ou diretamente, nos termos desta Constituição".

O artigo 2º define, textualmente: "São Poderes da União, independentes e harmônicos entre si, o Legislativo, o Executivo e o Judiciário."

Afastando-se do regime estabelecido pelo AI-5, que atribuía a cassação de mandatos ao "Presidente da República" e ao "Poder Judiciário" a Constituição informa que apenas representantes do povo podem encerrar um mandato popular. Diz-se no artigo 55 que cabe ao Congresso decidir a perda de mandato "por voto secreto e maioria absoluta, mediante provocação da respectiva Mesa ou de

HISTÓRIA AGORA

partido político representado no Congresso Nacional, assegurada ampla defesa". Elaborado por uma Constituinte reunida quando o Brasil superava a ditadura militar, o artigo 55 teve apoio de Fernando Henrique Cardoso, Luiz Inácio Lula da Silva, Mário Covas e Delfim Netto, numa maioria de 407 votos, ou 72% do plenário.

O que se buscou, naquele momento, foi garantir o equilíbrio entre os poderes, como explicou o constitucionalista Pedro Serrano, em entrevista ao blog.

> "Isso distingue o poder republicano do poder imperial. Num caso, nós temos a separação entre poderes. Na monarquia, nós temos a centralização das funções estatais num só poder. O texto constitucional deixa claro que o poder do Congresso, neste caso, não é um poder declaratório, mas um poder de conteúdo, constitutivo. Cassar o mandato é prerrogativa da Câmara, no caso de deputado, e do Senado, em caso de senador. É a forma que a Constituição encontra de defesa da soberania popular."

O debate ficou empatado em 4 a 4 e, no último dia do julgamento, Celso de Mello desempatou a favor do direito do STF cassar mandatos. Era uma decisão tão apertada, que o resultado final poderia ter sido outro, caso Teori Zavascki, já nomeado para o tribunal, mas que não participou do julgamento, tivesse dado seu voto. Em 1990, quando era juiz do Tribunal Regional Eleitoral do Rio Grande do Sul, ele publicou um artigo de caráter doutrinário em que defendeu que uma condenação criminal não resulta, automaticamente, na perda do mandato de um parlamentar, concordando com a noção de que a perda do mandato "depende da casa legislativa".

Nos dias anteriores à decisão, o deputado Marco Maia (PT-RS) chegou a se manifestar em defesa das prerrogativas do Congresso, conforme definição no artigo 55. Celso de Mello chamou a atenção, em seu voto, ao sugerir que havia uma hierarquia entre os poderes. Disse o ministro: "A insubordinação legislativa ou executiva a uma decisão judicial, não importa se do STF ou de um magistrado de 1º grau, revela-se comportamento intolerável, inaceitável e incompreensível."

A medida surpreendeu juristas como Carlos Velloso, ex-ministro do STF. "No meu entendimento, ao Supremo cabia condenar e suspender os direitos políticos e comunicar a Câmara, a quem caberia cassar o mandato." (*O Globo*, 18/12/2012.) Para o constitucionalista Dalmo Dallari, a decisão "contraria a Constituição. Temos que obedecer ao que a constituinte estabeleceu. Então eu só vou obedecer àquilo que me interessa? No que estou de acordo? Não tem sentido." (Idem).

O jornal *Estado de S. Paulo* definiu a decisão como um "ato jurídico perfeito". (Edição de 19/12/2012, página 3.) "Bastaria o mero bom-senso para caracterizar a situação aberrante de um político preso com o mandato preservado. Em regime fechado, simplesmente não poderia exercê-lo."

Para a *Folha de São Paulo*, foi "um mau passo" (Editorial, 18/12/2012, página 2.) "STF extrapolou suas funções ao determinar, pela via judicial, a perda de mandatos conferidos pela vontade popular. Mais razoável seria, como argumentaram os ministros vencidos, atribuir aos demais representantes eleitos pelo povo a responsabilidade de cassar seus pares." Em outro trecho, o jornal questionou: "Com a decisão de ontem, como evitar que, no futuro, um STF enviesado se ponha a perseguir parlamentares de oposição? Algo semelhante já aconteceu no passado, e a única garantia contra a repetição da história é o fortalecimento institucional."

São Paulo, janeiro de 2013

O presidente do Supremo Tribunal Federal - STF, ministro Gilmar Mendes, e o presidente da República, Luiz Inácio Lula da Silva durante posse do presidente do Superior Tribunal de Justiça - STJ, Cesar Asfor Rocha.

A julgar pela oposição, Luiz Inácio Lula da Silva só deveria ter liberdade para falar de futebol.

Já o ministro Celso de Mello, do Supremo Tribunal Federal, declarou que se Lula fosse presidente da República, poderia enfrentar um processo de *impeachment* caso houvesse feito declarações e insinuações semelhantes àquelas que o ministro Gilmar Mendes afirma que ele fez.

Gilmar, Lula e Nelson Jobim, que é amigo dos dois, tiveram um encontro. Os dois últimos garantem que foi uma conversa normal, de bons conhecidos, que incluiu até lembranças às famílias na hora das despedidas.

Gilmar alegou, por meio de reportagens não desmentidas pela imprensa, que foi pressionado para ter uma postura mais favorável aos réus no julgamento do mensalão. Chegou-se a sugerir que Lula havia ameaçado desenterrar episódios constrangedores para Gilmar na CPI de Carlos Cachoeira caso ele se recusasse a colaborar.

Um presidente da República não tem opinião pessoal. Tudo que ele pensa e manifesta envolve o cargo que ocupa e pode ser consi-

Gilmar Mendes, Lula, Tarso Genro, ministro da Justiça, e Nelson Jobim, da Defesa, em julho de 2008: outros tempos

derado uma forma de pressão sobre alguém. Mas Lula é ex--presidente, e acho que tem o direito de dizer o que pensa para toda pessoa que tenha disposição de ouvi-lo. Deixou a presidência da República há um ano e meio e continua o presidente mais popular da história do país. Há quem alegue que, do alto de sua popularidade, Lula deveria manter a compostura e ficar em silêncio obsequioso até o fim de seus dias.

Acho isso estranho. Não há muitos presidentes que, com a aprovação que Lula obteve no fim de seu mandato, foram capazes de resistir à tentação de uma reforma constitucional para tentar uma nova eleição. Até Arthur Uribe, da Colômbia, fez movimentos nessa direção.

Os observadores que criticam os movimentos de Lula poderiam lembrar que, em vez de circular pelo país e pregar suas ideias,

neste momento ele poderia estar sentado em seu gabinete no Palácio do Planalto, não é mesmo? Ou poderia ter jogado o Brasil numa crise política de verdade.

Jimmy Carter, que é um ex-presidente muito melhor do que foi presidente, tornou-se uma ONG capaz de desempenhar um papel notável na fiscalização de eleições em países de pouca tradição democrática.

A aprovação popular de Lula é um fato notável, num país onde a maioria dos ex-presidentes perdeu o certificado de validade antes de deixar o governo. Não vamos falar de José Sarney nem de Fernando Collor, certo?

Mesmo Fernando Henrique Cardoso, a quem se deve o mérito de garantir a estabilidade da moeda e a criação de regras que deram

HISTÓRIA AGORA

estabilidade ao sistema financeiro, deixou o Planalto em situação complicada. Sua popularidade era negativa, ou seja: havia mais brasileiros que rejeitavam seu governo que brasileiros capazes de apoiá-lo. Isso sempre limitou o poder de atuação de FHC depois que deixou o Planalto. Seguiu sendo o mais ouvido e acatado líder da oposição, mas falava para o Brasil de cima, sem audiência no povão.

Os aliados de FHC acham que ele teria se recuperado, aos olhos da população, se José Serra e Geraldo Alckmin tivessem feito a defesa do governo do PSDB nas campanhas de 2002, 2006 e 2010. Pode ser. Mas acho que a política é um pouco mais cruel. A única forma infalível de Fernando Henrique recuperar sua popularidade teria sido um fiasco do governo Lula. A tragédia posterior teria criado o conhecido efeito "eu era feliz e não sabia".

A dificuldade de muitos observadores, analistas profissionais e mesmo "consultores de crise" de conviver com as conquistas e melhorias ocorridas durante o governo Lula tornou-se um dos elementos centrais da nova situação política. O bom resultado na economia e na distribuição de renda não estava no roteiro. Lula era governo para um mandato, se tanto. O Brasil apenas queria "experimentar" Lula, chegava a dizer FHC em 2002.

Ex-presidente é assim. Pena que o tratamento não seja igual. Fernando Henrique pode falar a favor da legalização das drogas sem que isso seja visto como uma posição polêmica. Quando Lula escolheu Dilma para participar da campanha presidencial, a iniciativa foi classificada como um "dedaço" no estilo da ditadura institucionalizada do PRI mexicano. Houve quem conconcordasse, sem lembrar que FHC havia mudado a Constituição em 1997 para ele próprio concorrer.

Então, pergunto: por que Lula não pode dizer o que pensa sobre a melhor época para o julgamento do mensalão?

Ex-presidente não pode, é claro, chantagear nem sugerir uma barganha, coisa que duvido sinceramente que tenha feito. O deputado

Cândido Vaccarezza diz que Lula é um político "mais sofisticado do que a maioria de seus adversários consegue perceber".

Embora Gilmar Mendes tenha chegado ao Supremo por indicação de Fernando Henrique Cardoso, ao longo dos anos tornou-se um dos principais interlocutores do Planalto no órgão. Numa demonstração de que os bastidores entre políticos e juízes são muito mais complexos do que a maioria das pessoas imagina, nos últimos anos a conversa com Gilmar fluía com facilidade, ao contrário do que ocorria até com alguns ministros indicados por Lula.

Voltando ao "triálogo" de Lula, Gilmar e Nelson Jobim. São profissionais da conversa. Muito pouco precisa ser dito porque tudo pode ser entendido. E se houve alguma coisa de estranho na conversa, ninguém percebeu nem denunciou, ao menos no momento.

A descrição desse encontro como uma cena de guerra atende a outra agenda. Pode ser atribuída ao universo de intrigas, fofocas e insinuações dos dias que antecedem o julgamento. Ajuda a criar um clima politizado em torno do Supremo.

Essa é a questão. Na medida em que as partes já apresentaram suas armas, as estratégias para o julgamento estão cada vez mais claras. A oposição aposta que um clima politizado, de denúncia e de indignação, será útil para obter uma condenação. Torce, também, por uma decisão que poderá trazer benefícios nas eleições de outubro. Não é preciso ter diploma de *marketing* eleitoral para calcular que uma sentença do Supremo terá um valor de prova na visão de muitos eleitores.

A defesa se esforça na direção contrária. Acredita que será mais fácil sustentar seu ponto com argumentos técnicos. E é claro que o PT tem interesse em jogar o julgamento para qualquer dia depois de outubro. Não há anjos em Brasília.

(Nota atualizada em novembro de 2012.)

Delegado da Polícia Federal, Luiz Flavio Zampronha

CAPÍTULO 2.
VERDADES INCÔMODAS SOBRE O MENSALÃO

7h07, 30/5/2012

Paulo Moreira Leite

Em nota anterior descrevi o ambiente político em torno do mensalão. Uma das partes tem interesses em politizar o debate no ponto máximo. A outra tem esperança de convencer os ministros a se apoiar em argumentos de natureza técnica, no exame das provas.

O relatório do delegado da Polícia Federal Luiz Flavio Zampronha, disponível na internet, é rico em detalhes e bastante completo na abordagem. Só para o leitor ter uma ideia da situação. Tratado pela imprensa, o relatório já foi exibido como prova definitiva da existência do mensalão. Também foi apontado como prova do contrário. Em suas conclusões, o relatório mostra que se o PT não pode estar feliz com as denúncias apuradas, a oposição não tem o direito de festejar por antecipação.

É por isso que o julgamento é aguardado com tensão. Todo mundo espera um proveito político, mas ninguém sabe o que pode acontecer. Ninguém quer prestar atenção ao relatório.

Zampronha juntou os fios dos contratos de publicidade do Banco do Brasil e afirma que houve desvio de dinheiro público para pagar os compromissos assumidos pelo PT.

HISTÓRIA AGORA

O PT pode alegar, corretamente, que o mensalão de Delúbio Soares é igual ao mensalão mineiro, e até pode dizer que o esquema dos tucanos mineiros está mais bem demonstrado. Tudo isso é verdade. A culpa de Marcos Valério em Minas pode até ajudar a colocar a denúncia em seu devido lugar. Mostra que o esquema do PT tinha antecedentes. Mas nada disso ajuda a demonstrar que ele era inocente quando se juntou ao PT.

Pelo relatório, petistas e não petistas que deixaram sua assinatura em algum documento oficial terão dificuldades muito grandes para demonstrar que são inocentes. O problema, para a oposição, é que essas conclusões estão longe de demonstrar a culpa dos trinta e oito réus. Pior ainda. Para quem transformou José Dirceu no cérebro e gênio do mal, a investigação da Polícia Federal é uma decepção.

Evitando mencionar hipóteses que estão na mente de muitas pessoas, mas não podem ser comprovadas com fatos, o relatório não apresenta uma linha contra Dirceu. Embora Zampronha não dê entrevistas, é fácil concluir o que aconteceu.

A culpa de Dirceu não foi registrada pela equipe de policiais encarregada de apurar os fatos capazes de incriminá-lo. Não há provas contra ele. Não há uma denúncia nem uma testemunha. O próprio Roberto Jefferson, que fez acusações políticas a Dirceu em 2005, não apontou um caso específico nem uma situação precisa. Aliás, quem voltar, sete anos depois, à entrevista de Jefferson a Renata Lo Prete, na *Folha*, encontrará palavras com que ele testemunha a reação de Dirceu de crítica ao próprio Delúbio. Jefferson contou a Lo Prete que, ao ser informado do que ocorria, Dirceu até deu socos na mesa. (Ele também disse que Lula chorou.)

Puro teatro maquiavélico, você pode dizer. Coisa de bem treinados profissionais do crime. São todos farsantes, mentirosos... Esses políticos são todos iguais. Quem sabe?

Falando para os autos, Jefferson também não falou sobre o esquema de "compra de votos no Congresso" nem de "compra de consciências". Jefferson repete no depoimento que deu à Polícia que jamais votou em projetos do governo em troca de dinheiro. Lembra que ele e sua bancada estavam de acordo com as propostas de Lula.

Dá exemplos. Fala que o problema é que os petistas combinaram e não entregaram recursos para a campanha de 2004. Jefferson, nesse aspecto, concorda com aquilo que Delúbio sempre disse. Era dinheiro de campanha.

Já estou ouvindo um grito do leitor do outro lado: "P… que p…!" "Não é possível!" "O PML enlouqueceu de vez!" "Não percebe que a Polícia Federal faz o que o governo quer?"

Todos nós temos direito a uma opinião sobre o caso e seus protagonistas, mas, acionada pela Procuradoria Geral da República, aquela que denunciou o governo pela montagem de uma "organização criminosa", a Polícia Federal chegou a outro caminho. Não demonstra o "mensalão". Tampouco aponta para José Dirceu. Mas incrimina quem foi apanhado numa operação que implicava desvio de recursos públicos. Não é pouca coisa. Mas não agradará a quem acredita que estava tudo provado e demonstrado sobre a "quadrilha criminosa".

Isso quer dizer que o Supremo seguirá as recomendações da Polícia Federal? Nem de longe. Cada ministro tem o direito a suas convicções e próprias conclusões. O relatório da Polícia Federal pode inspirar alguns ministros, a maioria, a minoria, ou nenhum. Com certeza não será um julgamento unânime como a votação sobre cotas.

Não é inteiramente bom para nenhum lado. Nem totalmente ruim.

Marcos Valério durante depoimento na CPMI da compra de votos do mensalão.

Leandro Loyola e Marcelo Rocha, repórteres da sucursal da revista *Época* em Brasília, entrevistaram Osmar Serraglio (PMDB--PR), deputado que foi relator da CPMI (Comissão Parlamentar Mista de Investigação) dos Correios. Ao encerrar os trabalhos, a CPMI publicou um relatório de 768 páginas. Às vésperas do julgamento, a pergunta consistia em saber qual a consistência das acusações. Leandro Loyola e Marcelo Rocha perguntaram:

Loyola e Rocha: Por que o sr. diz que se aborrece quando alguém usa a expressão "farsa do mensalão"?

Osmar Serraglio: Porque não é a mim apenas que se desacredita, mas a um trabalho do Congresso. Eram dezesseis senadores e dezesseis deputados titulares, mais trinta e dois suplentes. Todo esse exército trabalhou, colaborou, vigiou o trabalho da CPMI. O Congresso já tem dificuldades para se firmar, e quando faz um trabalho denso, aprofundado, diz-se que não houve nada do que se levantou?

Loyola e Rocha: A CPMI dos Correios obteve provas do mensalão?

Serraglio: Quase que matemáticas. Tenho convicção absoluta. Tivemos peças que eram intestinas desse emaranhado. Marcos Valério e Roberto Jefferson: tudo que eles falaram restou comprovado. Roberto Jefferson era o líder de um partido. Frequentava o poder, acompanhava, e ele mesmo fala que alertou — para os fatos que estavam acontecendo — o [*então*] presidente [Luiz Inácio Lula da Silva]. Hoje, procura-se desacreditar Roberto Jefferson porque ele foi cassado.

Em *O Estado de S. Paulo*, a repórter Débora Bergamasco também fez uma entrevista com Osmar Serraglio. O deputado afirma:

" Faltou muita coisa, muito do que eles ficam batendo agora que 'não *tá* provado isso, não *tá* provado aquilo' é porque *a gente* estava amarrado, não tínhamos liberdade. Hoje, por exemplo, o José Dirceu fala que ele não tem nada a ver com isso. Nós poderíamos ter feito provas muito mais contundentes em relação à evidente ascendência que ele tinha."

Ele também diz que na CPI os petistas agiam para dirigir as investigações para o terreno que lhes interessava. Por exemplo: pressionavam para que se procurasse pela origem do dinheiro que Delúbio Soares e Marcos Valério distribuíam, e não por seu destino.

O depoimento é instrutivo pelo que diz e também pelo que dá a entender. Ao admitir que "faltou muita coisa" o deputado reconhece que, apesar de todo o esforço realizado na época, não se conseguiu avançar tudo que se pretendia na produção de provas contra Dirceu e outros acusados.

Deputado Osmar Serraglio, relator da CPMI dos Correios

O argumento de que a liderança política de Dirceu atrapalhou a investigação faz sentido. Também acredito que os deputados da bancada governista não ajudaram a investigar seu próprio governo. Mas acho que isso sempre faz parte do jogo, seja numa CPMI, num inquérito sobre fraude no exame vestibular e assim por diante, não é mesmo? Não há lei que obrigue uma pessoa a complicar a própria situação. Nem o mais inocente dos acusados jamais correrá o risco de se prejudicar.

Seja pelo motivo que for, a alegação de Serraglio coloca um problema para a acusação. Equivale ao reconhecimento de que tem dificuldade para apresentar provas para o julgamento.

Essa avaliação não é nova. Num texto que publiquei aqui, no fim de maio, dizia que a tese principal do mensalão, como um sistema de compra de votos no Congresso, não estava demonstrada no inquérito da Polícia Federal. Não fui o primeiro a sustentar isso. O jornalista Lucas Figueiredo, autor de *O operador*, sobre Marcos Valério, que fez várias revelações importantes sobre o caso, mostra que o mensalão "não foi provado" — Lucas já dizia isso em 2006.

Janio de Freitas, um dos grandes mestres do jornalismo, escreveu que é possível sustentar que Dirceu é o chefe do mensalão com a mesma consistência que se poderia dizer que o chefe era Antonio Palocci. Para Janio de Freitas, não há prova alguma contra nenhum dos dois neste caso.

Essa é a questão. Muito do que se disse não se provou. Por quê?

Se você conversar com a bancada do PT, concluirá que não se provou porque não havia o que devesse ser provado. O mensalão era o nome para os conhecidos esquemas de financiamento de campanhas eleitorais. Envolvia alianças políticas e acordos de campanha.

Mas há explicações técnicas que ajudam a entender por que as investigações não avançaram mais, evitando a constatação de que faltou muita coisa, como diz Serraglio.

Uma observação possível é que faltou um acordo para a delação premiada. Roberto Jefferson deu grandes entrevistas e fez ótimos discursos, mas, como disse Fernando Henrique Cardoso, "teatralizou o mensalão". Um delegado me assegura que tudo teria sido muito diferente se Marcos Valério, em vez de perseguido de modo implacável, houvesse recebido a oferta de salvar a própria pele na hora certa — passando a agir como aliado das investigações, em vez de proteger-se como acusado.

O que ele poderia contar? Aquilo que a oposição espera? Aquilo que o governo sustenta? Não se sabe. Seja como for, é tarde demais. Um advogado dos trinta e oito réus me disse que Valério fez quatro tentativas de acordo com o Ministério Público, mas as iniciativas foram repelidas, porque se considerou que ele não tinha o que entregar.

O Supremo julgará o mensalão com aquilo que está nos autos. Será um julgamento técnico e político. Técnico, porque não se trata de uma corte de aloprados. E político, porque o STF tem a função de defender a Constituição — e essa missão é política.

Quando se fala no aspecto político, pode-se pensar em várias hipóteses. Uma delas, a que parece mais óbvia, seria atender a um clamor contra a corrupção e contra a impunidade. Mas também é uma atitude política considerar que, apesar deste clamor, convém afirmar outro valor: que é preciso julgar com isenção, com base em provas claras e bem fundamentadas. Esse é o debate real no julgamento.

Depoimento do deputado do PTB-RJ, Roberto Jefferson, na CPMI sobre a corrupção nos Correios

CAPÍTULO 4.
CONSTRANGIMENTOS NO MENSALÃO

6h40, 2/8/2012
Paulo Moreira Leite

Sabemos que os esquemas financeiros da política brasileira são condenáveis por várias razões, a começar pela principal: permitem ao poder econômico alugar o poder político para atender a interesses privados.

Os empresários que contribuem financeiramente com campanhas passam a ter deputados, senadores e até governos inteiros a seu serviço, o que é lamentável. O cidadão comum vota uma vez a cada quatro anos. Sua força é de um em 100 milhões. Já o voto de quem sustenta os políticos é de 100 milhões contra um.

Por isso sou favorável a uma mudança nas regras de campanha, que proíba ou pelo menos controle essa interferência da economia sobre a política. Ela é, essencialmente, um instrumento da desigualdade. Contraria o princípio democrático de que um homem equivale a um voto.

Pela mesma razão, acho que todos os fatos relativos ao mensalão petista precisam ser esclarecidos e examinados com serenidade.

HISTÓRIA AGORA

Casos comprovados de desvios de recursos públicos devem ser punidos. Outras irregularidades também não devem passar em branco. Não vale a pena, contudo, fingir que vivemos entre cidadãos de laboratório. Desde a vassoura da UDN janista os brasileiros têm uma longa experiência com campanhas moralistas para entender um pouco mais sobre elas. Sem ir ao fundo dos problemas, o único saldo é um pouco mais de pirotecnia.

No tempo em que Fernando Henrique Cardoso era sociólogo, ele ensinava que a opinião pública não existe. O que existe, explicava, é a "opinião publicada". Esta é aquela que você lê.

O julgamento do mensalão começa em ambiente de opinião publicada. O pressuposto é que os réus são culpados e toda deliberação no sentido contrário só pode ser vista como falta de escrúpulo e cumplicidade com a corrupção. Num país que já julgou até um presidente da República, é estranho falar que estamos diante do "maior julgamento da história". É mais uma opinião publicada. Lembro os protestos "caras-pintadas" pelo *impeachment* de Collor. Alguém ainda se lembra da turma do "Cansei", que foi às ruas depois das denúncias de Roberto Jefferson?

Também acho estranho quando leio que o mensalão foi "revelado" em junho de 2005. Naquela data, o deputado Roberto Jefferson deu entrevista à *Folha* e disse que o governo pagava os deputados para ter votos no Congresso. Falou até que eles estavam fazendo corpo mole porque queriam ganhar mais. Anos mais tarde, o próprio deputado diria: "a Justiça, onde faltar com a verdade pode ter mais complicações", dizendo que o mensalão foi uma "criação mental".

Mais tarde, Jefferson negou o que havia negado e afirmou o que havia afirmado.

A realidade é que o julgamento do mensalão começa com um conjunto de fatos estranhos e constrangedores. Alguns:

A OUTRA HISTÓRIA DO MENSALÃO

1. Roberto Jefferson continua sendo apresentado como a principal testemunha do caso. Mas isso é o que se viu na opinião publicada. Na opinião não publicada, basta consultar seus depoimentos à Justiça, longe dos jornais e da TV, para ouvir outra coisa. Negou que houvesse votado em projetos do governo por dinheiro. Jurou que o esquema de Delúbio Soares era financiamento da campanha eleitoral de 2004. Lembrou que o PTB, seu partido, tem origens no trabalhismo e defende os trabalhadores, mesmo com moderação. Está tudo lá, na opinião não publicada. Ele também diz que o mensalão não era federal. Era municipal. Sabe por quê? Porque as eleições de 2004 eram municipais e o dinheiro de Delúbio e Marcos Valério destinava-se a essa campanha.

2. Embora a opinião publicada do Procurador-Geral da República continue afirmando que José Dirceu é o "chefe da quadrilha", ainda é justo esperar por fatos além de suposições. Deixando de lado a psicologia de botequim e as análises impressionistas sobre a personalidade de Dirceu, é preciso encontrar a descrição desse comportamento nos autos. Vamos falar sério: nas centenas de páginas do inquérito da Polícia Federal — afinal, foi ela quem investigou o mensalão — não há menção a Dirceu como chefe de nada. Nenhuma testemunha o acusa de ter montado qualquer esquema clandestino para desviar qualquer coisa. Nada. Repito essa versão não publicada: nada. São milhares de páginas. Nada entre Dirceu e o esquema financeiro de Delúbio.

3. O inquérito da Polícia Federal ouviu 337 testemunhas. Deputados e não deputados. Todas repetiram o que Jefferson disse na segunda vez. Nenhuma falou em compra de votos para garanti-los ao governo. Ou seja: não há diferença entre testemunhas. Há concordância e unanimidade, contra a opinião publicada.

4. A opinião publicada também não se comoveu com uma diferença de tratamento entre petistas e tucanos que foram agrupados pelo mesmo Marcos Valério. Como o ex-ministro da Justiça Márcio Thomaz Bastos deve lembrar hoje no tribunal, os tucanos tiveram direito a julgamento em separado. Aqueles com direito a ser julgados pelo STF e aqueles que irão para a Justiça comum. De ministros a secretárias, os acusados do mensalão petista ficarão todos no mesmo julgamento. A pouca atenção da opinião publicada ao mensalão mineiro dá a falsa impressão de que se tratava de um caso menor, com pouco significado. Na verdade, por causa da campanha tucana de 1998 as agências de Marcos Valério recebiam verbas do mesmo Banco do Brasil que mais tarde também abriria seus cofres para o PT. Também receberam aqueles empréstimos que muitos analistas consideram duvidosos, embora a Polícia Federal tenha concluído que eram para valer. De acordo com o Tribunal de Contas da União, entre 2000 e 2005, quando coletava para tucanos e petistas, o esquema de Marcos Valério recebeu R$ 106 milhões. Até por uma questão de antiguidade, pois entrou em atividade com quatro anos de antecedência, o mensalão tucano poderia ter preferência na

A OUTRA HISTÓRIA DO MENSALÃO

hora de julgamento. Mas não. Não tem data para começar. Não vai afetar o resultado eleitoral.

É engraçada essa opinião publicada, concorda?

Advogado Márcio Thomaz Bastos
durante o julgamento do mensalão,
no Supremo Tribunal Federal - STF

CAPÍTULO 5.
O DESMEMBRAMENTO

21h03, 3/8/2012
Paulo Moreira Leite

O primeiro dia do mensalão terminou com uma decisão importante a respeito do desmembramento do processo. Por iniciativa de Márcio Thomaz Bastos, o plenário discutiu a proposta de separar os acusados em dois blocos. Uma parte dos réus, que tem direito ao chamado foro privilegiado, seria julgada no Supremo. A outra parte seria encaminhada à Justiça comum.

Por nove votos a dois, o Supremo decidiu manter um julgamento só. É uma decisão que tem defensores e vários argumentos de um lado e de outro, mas que coloca um problema. O mensalão mineiro, mais antigo que o mensalão petista, envolve o mesmo empresário Marcos Valério, as mesmas agências de publicidade, e até o Banco do Brasil, fonte de recursos públicos. Mesmo assim, ele foi desmembrado. Isso beneficiará os réus que forem julgados na primeira instância. Em caso de condenação, terão direito a um segundo julgamento.

Seja como for, esse ponto está resolvido. O julgamento continua. Mas essa decisão, tão diferente para situações tão parecidas, vai gerar muita polêmica, estejam certos.

(Texto transcrito de vídeo publicado nesta data.)

Procurador Roberto Gurgel, durante o julgamento do mensalão, no Supremo Tribunal Federal - STF

CAPÍTULO 6.
PRIMEIRAS LIÇÕES DO JULGAMENTO

8h25, 7/8/2012
Paulo Moreira Leite

Para quem abriu espaço na agenda para o julgamento do mensalão, assistir ao confronto entre a acusação e a defesa tem sido uma oportunidade única de exercício democrático.

O Brasil passou os últimos sete anos ouvindo versões variadas do depoimento de Roberto Jefferson. Alvejado pelo único depoimento claro de malfeitorias no governo, resumido naquele vídeo confissão de um protegido que nomeou para os Correios, Jefferson foi transformado numa espécie de herói conveniente para o jogo político da oposição, que pretendia atacar o governo Lula, José Dirceu em particular e o PT em geral.

Pela repetição em milhares de depoimentos, entrevistas, editoriais, reprises, idas, voltas, e assim por diante, Jefferson só não virou herói porque assim também não dá — mas esteve perto, vamos combinar.

A questão é que, pela primeira vez, a espessa camada geológica que protegia a verdade publicada sobre o mensalão tem sido submetida publicamente ao contraditório, ao conflito de opiniões e ao questionamento de provas parciais. O resultado é que o mensalão pode até ter sido o "maior escândalo da história", mas cabe perguntar: de qual história? Por quê? Da Justiça? Da política? Da imprensa? Do Ministério Público? O tempo vai dizer.

HISTÓRIA AGORA

Quem assistiu às cinco horas de acusação de Roberto Gurgel, na semana passada, assistiu a uma demonstração de competência. Eu não entendo nada de direito nem de julgamento, vamos combinar. Mas o juiz Walter Maierovitch disse, na CBN, que a denúncia de Gurgel é comparável a um cruzado de direita, aquele golpe de uma luta de boxe capaz de nocautear o adversário num único lance. Isso porque o Procurador-Geral lançou a jurisprudência do domínio do fato, muito aceita em julgamentos que envolvem o crime organizado e seu chefe — aquele que comanda uma rede de malfeitorias sem deixar rastros, nem enviar *e-mails*, sem falar ao telefone nem assinar recibo. Aceita em vários julgamentos, a noção de domínio do fato não pode, é claro, ser uma simples declaração de intenções, uma construção teórica sem apoio em fatos, à moda do Senado paraguaio, que afastou o presidente Fernando Lugo porque "todo mundo sabia" que ele era culpado daquilo que cinco deputados de oposição diziam que havia feito, sem se dar ao trabalho de juntar provas nem testemunhos críveis.

A questão é evitar o Paraguai jurídico, evidentemente. E aí essa sessão foi fundamental. Permitiu, pela primeira vez, que as acusações — conhecidas dos brasileiros desde a célebre entrevista de Jefferson durante longos sete anos — fossem passadas pelo outro lado, pelo crivo da contestação, pela versão dos acusados. E aí, é preciso reconhecer que nem tudo ficou em pé.

O advogado de José Dirceu mostrou que não há uma única testemunha de que o então ministro da Casa Civil estivesse articulando a compra de votos. Admitiu o óbvio, que Dirceu tinha uma imensa influência política em tudo que ocorria no Planalto. Mas citou testemunhas e testemunhos que afirmavam o contrário do que disse Gurgel.

O advogado de Delúbio Soares mostrou uma realidade difícil de ser desmentida, a de que os acordos políticos são anteriores ao acordo financeiro. É um argumento bom para se negar a noção de quadrilha, de bandidagem, que desde o início se coloca no debate. A defesa de Delúbio citou uma jornalista insuspeita de qualquer simpatia pelo governo Lula para sustentar a tese de que todos os gastos e despesas se destinam, na origem, a cobrir despesas de campanha. Admitiu-se, portanto, crime de natureza eleitoral — e não corrupção.

O advogado de José Genoino mostrou que é difícil sustentar que seu cliente tenha tido uma atuação além da articulação política. Mostrou que Genoino assinou os pedidos de empréstimo do PT ao Banco Rural — e lembrou que esse episódio, o único contra Genoino, foi considerado inteiramente legal pela perícia, na época, destinando-se a cumprir uma necessidade real do partido, em situação de penúria após a vitória de 2002. A defesa também lembrou a condição pessoal de Genoino, sujeito com vida de cidadão honrado, que até hoje reside no mesmo endereço no bairro paulistano do Butantã onde criou os filhos, como professor e depois como deputado em não sei quantos mandatos. Fica difícil falar em corrupção sem sinais de benefício pessoal — motivação que é a causa inicial de malfeitorias de qualquer espécie.

Numa intervenção que superou muitas previsões, a defesa de Marcos Valério conseguiu questionar, tecnicamente, alguns testemunhos e alegações contra seu cliente. Apoiado no depoimento de vários publicitários de grande reputação no mercado, demonstrou que uma alegação de irregularidade contra as agências de Marcos Valério, envolvendo uma remuneração conhecida como bonificação por volume, simplesmente não tem sustentação técnica. A defesa ainda citou vários exemplos de depoimentos — usados pela acusação — que os mesmos autores desmentiram na Justiça.

Não é preciso usar da pressa paraguaia e concluir que nada se sustenta na denúncia de Roberto Gurgel. É necessário esperar novos questionamentos daqui por diante. Grandes leões do júri ainda não se pronunciaram. Acho impossível não surgir nenhuma novidade na fala de um Márcio Thomaz Bastos, de um José Carlos Dias. Teremos, ainda, os votos dos onze ministros, e é claro que muitos deles têm o que dizer. O relator Joaquim Barbosa ainda não leu seu voto. Nem o revisor Ricardo Lewandowski.

O debate está apenas começando.

José Dirceu numa manifestação
contra a ditadura, em 1968

© Arquivo/CB.D.A Press

CAPÍTULO 7.
O NÚCLEO DA POLÍTICA DO MENSALÃO

10h39, 9/8/2012
Paulo Moreira Leite

A primeira notícia sobre o mensalão é que a verdade de uma face só começa a perder credibilidade. A verdade é que, depois do início do julgamento, alguns casos se revelaram particularmente humilhantes para a acusação. Estou falando do ex-ministro, ex--deputado e líder sindical bancário Luiz Gushiken. A acusação pede a absolvição de Gushiken por falta de provas.

Mas, durante sete anos Gushiken frequentou os jornais e telejornais como um dos suspeitos. Sua foto de cavanhaque e olhos puxados estava em toda parte, as acusações também. Em 2005, seu depoimento à CPI foi interrompido por comentários maliciosos de parlamentares da oposição, que dificultavam a conclusão de qualquer raciocínio. Parte do plenário espumava de felicidade.

Já se sabia que a acusação havia decidido indiciar Gushiken em 2007, embora admitisse que só tinha indícios muito fracos para isso. Mas ela foi em frente, com o argumento de que, se não apurasse nada de novo, o acusado seria inocentado. Mas se era assim, por que não fazer o contrário e só indiciar em caso de indícios concretos?

Revelou-se, no Supremo, um detalhe especialmente cruel. Embora tivesse acesso a documentos oficiais que poderiam ser úteis a Gushiken, a acusação recusou-se a fornecê-los a seus advogados em tempo hábil. Com isso, o réu foi prejudicado no direito de apresentar uma defesa melhor. Feio, não é?

O fato é que o julgamento tem permitido a apresentação serena de mais de uma versão, interrompendo o ambiente de linchamento que acompanhou o caso desde o início. E é para voltar ao linchamento que começam a circular novas versões e opiniões sobre o caso, sobre a Justiça brasileira, sobre a impunidade nacional e assim por diante.

O raciocínio é simples: não importa o que for provado nem o que não for provado. Caso os trinta e oito réus não sejam condenados de forma exemplar, quem sabe saindo algemados do tribunal, o país estará desmoralizado, nossa Justiça terá demonstrado, mais uma vez, que só atua a favor da impunidade, que todos queremos *pizza* e assim por diante.

Parafraseando Napoleão no Egito, tenta-se vender uma empulhação. Como se os 512 anos de nossa história contemplassem os 190 milhões de brasileiros das estátuas de mármore na sede do Supremo em Brasília.

Vamos deixar claro. Ninguém quer a impunidade. Todo mundo sabe que o abuso do poder econômico é um dos principais fatores de atraso de nosso regime democrático. Não é difícil reparar, porém, numa grande hipocrisia. As mesmas forças que sempre se beneficiaram do poder econômico, da privatização da política e do aluguel dos governos são as primeiras a combater toda tentativa de reforma e de controle, com o argumento de que ameaçam as liberdades exclusivas de quem tem muito patrimônio para gastar em candidatos que usam o mandato para defender a causa de seus patrocinadores. Denunciam o mensalão hoje, mas fazem o possível para que se possam criar sistemas semelhantes amanhã. Não por acaso, há dois mensalões com um duplo tratamento. O dos mineiros, que é tucano,

A OUTRA HISTÓRIA DO MENSALÃO

já foi desmembrado e ninguém sabe quando será julgado. Já o do PT, que é mais novo, e deveria ceder passagem aos mais velhos, é o que se sabe.

Esse tratamento duplo ajuda a demonstrar a tese tão cara à defesa de que a dificuldade principal não se encontra no mensalão, mas nos interesses políticos que os acusados defendem e representam. Interesses diferentes têm tratamento diferente, concorda?

O principal argumento para o linchamento é provocar uma parcela da elite brasileira em seu ponto fraco — o complexo de inferioridade em relação a países desenvolvidos. O truque é falar que sem uma pena severa nem condenações "exemplares" (exemplo de que, mesmo?) vamos confirmar nossa vocação de meia-república, um regime de bananas, com uma semidesigualdade entre os cidadãos, no qual a população não sabe a diferença entre público e privado.

Coisa de antropólogo colonial em visita a terras de Santa Cruz. Por esse raciocínio, num país tropical como o nosso não se deve perder tempo falando em "prova", "justiça," "fatos", "testemunhas". Muito menos em "direitos humanos", essa coisa que "só serve para bandidos", não é mesmo?

Somos atrasados demais para ter atingido esse ponto. Sofremos de um mal maior, de origem.

O que existe em nossa pequena aldeia brasileira é uma "cultura" de país pobre, subdesenvolvido, sem instrução. É ela que a turma do linchamento acredita que precisa ser combatida e vencida. Por isso o julgamento do mensalão não é um "julgamento" nem os réus são apenas "réus". São arquétipos. São "símbolos" e não dispensam verdades comprovadas para ser demonstrados. Mas, se é assim, seria melhor chamar o Carl Jung em vez do Ayres Britto, não?

No julgamento de símbolos, basta a linguagem, o verbo, a verba, a cultura, os poetas, ou em tempos atuais, a mídia — é com ela que se constroem e se desfazem símbolos e mitos ao longo da história e mesmo nos dias de hoje, não é mesmo?

Luiz Gushiken faz discurso durante greve nacional dos bancários, em 1986

Dane-se se as provas não correspondem ao que se espera. Para que se preocupar com testemunhas que não repetem o texto mais conveniente? O que importa é dar uma lição aos selvagens, aos incultos, aos despreparados.

Como se existissem civilizados. E aqui, é preciso refletir um pouco sobre essa visão do Brasil. É muito complexo para um país só.

Qualquer antropólogo que já passou um fim de semana nos Estados Unidos sabe que ali se encontra um dos países mais desiguais do planeta, onde os ricos não pagam impostos, os pobres não têm direito à saúde e as garantias formais da maioria dos assalariados são exemplo do Estado mínimo. A Justiça é uma mercadoria caríssima e as boas universidades estão reservadas para dois tipos de

gente. Os gênios de verdade, que todo mundo quer aproveitar, e os milionários, que podem pagar mensalidades imensas e ainda contribuem com uma minúscula fatia de suas fortunas para garantir um sistema em que o topo garante ingresso para seus filhos e netos.

Quem se acha "europeu" poderia abrir as páginas de *A força da tradição*, no qual o historiador Arno Meyer descreve a colonização da burguesia revolucionária — da liberdade e da igualdade — pela aristocracia. No processo, os impulsos democráticos foram subjugados pela restauração conservadora.

Fico imaginando se os pensadores americanos acordam de manhã falando em sua meia-república depois de reconhecer a força do *Tea Party*. E os europeus, incapazes de olhar para o horror e a miséria de sua crise contemporânea? Também acham que há um problema em sua "cultura"?

Tudo isso para dizer que o problema não é cultura, não é passado, mas é o impasse político do presente.

E aí, não é possível deixar de notar uma grande coincidência. Vamos esquecer os banqueiros e publicitários dos "núcleos" operacional e financeiro da denúncia. Vamos para o principal, o "núcleo político".

Há quatro décadas, José Dirceu foi preso sem julgamento e, mais tarde, iniciou uma longa jornada no exílio e na clandestinidade. Não lhe permitiam circular pelo país nem defender suas ideias em liberdade. O mesmo regime que o perseguia suprimiu eleições, transformou a justiça num simulacro, cassou ministros do Supremo, instalou a censura à imprensa e convocou um admirador de Adolf Hitler, como Filinto Müller, para ser um de seus dirigentes políticos.

Civilizado, não? Meia-república? Ou o país deveria ser transformado numa ditadura porque líderes estudantis, como Dirceu, defendiam um regime como o comunismo cubano?

José Genoino foi preso e torturado. Queria fazer uma guerrilha da escola maoísta — popular e prolongada. Imagine a farsa do tribunal militar que o condenou — com aqueles oficiais que cobriam o rosto, na foto inesquecível do julgamento da subversiva Dilma Rousseff, mas não deixavam de cumprir o figurino do regime, ilustrado por denúncias fantasiosas em tom histérico.

Gushiken, a quem não forneceram provas na hora necessária, era do tempo em que a polícia vigiava sindicatos, perseguia dirigentes — achava civilizado dar porrada, desde que não ficassem marcas de choques elétricos.

Essa turma merece mesmo ser chamada de "núcleo político" do caso. Está no centro das coisas de seu tempo. É o núcleo do átomo.

Ninguém se importa com banqueiros do Rural, vamos combinar. Nem com publicitários. Se forem inocentados, terão direito a um chororô de fingida indignação e estamos conversados.

A OUTRA HISTÓRIA DO MENSALÃO

A questão está nos "políticos". Sabe por quê? Porque dessa vez "os políticos" já não podem ser silenciados na porrada.

Quatro décadas depois, cidadãos como Genoino, Dirceu, Gushiken e seus descendentes políticos não são conduzidos a tribunais militares. Podem apresentar sua versão, defender seus direitos. Resta saber se serão ouvidos e considerados, ou se haverá provas e argumentos para condená-los, sem perseguição política.

Vídeo por vídeo, não há nada contra os réus que se compare à tentativa de suborno que serviu de prova na Operação Satiagraha — anulada pela Justiça. Também não há relação de contribuições a políticos tão clara como a Castelo de Areia, com dezenas de milhões desviados, nome após nome — anulada pela Justiça. Para voltar a um passado um pouco mais distante, nunca se viu um escândalo tão grande como o *impeachment* de Collor, com troca de favores e obras públicas registradas em computador — prova anulada pela Justiça.

Desta vez, os réus têm uma chance. É isso que irrita a turma do linchamento. Imagine quantas provas de inocência não sumiram no passado. Quantos depoimentos não foram redigidos e alinhavados pela pancada e pela tortura. Hoje, os mesmos réus e seus descendentes políticos têm direito a ser ouvidos. Representam. Seu governo tem votos.

Alguns acusados do núcleo contam com advogados que não cobram menos de R$ 100 mil só pela primeira consulta — sem qualquer compromisso posterior. Pois é. A justiça brasileira continua escandalosamente cara, exclusiva, desigual. É feita para brancos e muito ricos. Mas os bons advogados deixaram de ser monopólio do pessoal de sempre. Tem gente nova no clube. O país não mudou muito. Só um pouquinho.

É isso que a turma do linchamento não suporta.

Henrique Pizzolato, ex-diretor de marketing do Banco do Brasil, em depoimento na CPMI dos Correios

CAPÍTULO 8.
PIADA PRONTA E PARANOIA NO MENSALÃO

8h42, 11/8/2012
Paulo Moreira Leite

Está na moda observar que os ministros do STF resolveram quebrar o costume e interrogar os advogados dos acusados do mensalão para fazer perguntas inesperadas durante o julgamento. Eu acho essa atitude muito positiva tanto pelo conteúdo como pela forma.

Pelo conteúdo, porque ajuda a questionar discursos que parecem bonitos demais para serem verdadeiros.

Pela forma, porque nem sempre é fácil aguentar várias falações consecutivas sem ficar entediado.

As perguntas ajudam, portanto.

Eu acho que apareceu uma nova pergunta sobre o caso. Ou melhor, é uma piada pronta. Acabo de ler que o mensalão do DEM deve ser desmembrado. Aquele mesmo, sobre 38 integrantes do governo do Distrito Federal que foram filmados quando recebiam dinheiro em sacos de supermercado e na sacola de feira.

Então, ficamos assim: o mensalão do PSDB foi desmembrado. O mensalão do DEM será desmembrado. Pelo menos esta é a opinião do novo presidente do tribunal, Felix Fischer, conhecido por um rigor jurídico implacável.

Já o mensalão do PT não foi desmembrado.

Vamos combinar: é recorde. Janio de Freitas já havia assinalado: "Dois pesos, dois mensalões". Agora precisaremos inventar um ditado novo. Quem sabe: Três pesos, três mensalões.

Talvez seja um sinal dos tempos, um espírito da época. Quem sabe um símbolo, um exemplo, como dizem aqueles antropólogos tão convencidos do caráter arquetípico do mensalão (do PT) que parecem querer trocar o Ayres Britto pelo Carl Jung.

Os psiquiatras ensinam que o fato de uma pessoa ser paranoica e enxergar uma conspiração em cada esquina não impede que possa estar sendo efetivamente perseguida. E aí quem tem razão: o médico ou o paciente?

Há outras questões, contudo. O relator Joaquim Barbosa questionou, muito corretamente, o advogado do ex-diretor do Banco do Brasil Henrique Pizzolato. O relator queria saber se os milhões que foram transferidos do sistema Visanet para as agências de Marcos Valério, empresa da qual o BB é um dos três sócios, são recursos públicos.

O advogado de Pizzolato dizia que eram recursos privados. Barbosa sustentou, pelas perguntas, que são recursos públicos. Foi elogiadíssimo nos dias seguintes. A interpelação virou manchete.

Mas não se trata de uma questão de opinião. Eu não posso "achar" que aquela nota de 100 reais saiu de um cofre "público" enquanto você "acha" que o cofre era "privado". Temos de levantar o percurso do dinheiro, certo?

E aí estamos com um problema.

O Banco do Brasil, que é a parte interessada na história, e dona do dinheiro, definiu em resoluções internas que o dinheiro do Visanet era "privado" e não lhe pertencia. A dona do dinheiro era uma empresa criada pela Visa para divulgar seu cartão.

Não há registro, na contabilidade do Banco do Brasil, de pagamentos para a DNA.

Isso está demonstrado até por uma auditoria feita depois que o escândalo explodiu. O dinheiro destinado à DNA era enviado diretamente pelo Visanet, sem passar pelo banco.

É um ponto muito importante do julgamento, mas a que se prestou pouca atenção. Por quê?

Porque envolve um dos personagens mais controvertidos do mensalão.

Henrique Pizzolato é um antigo fundador e dirigente do PT do Paraná fez carreira como um dos principais articuladores da Campanha contra a Fome e a Miséria, conduzida no governo Itamar Franco.

A campanha tinha uma grande personalidade pública, que era o Humberto de Souza, o Betinho. Outra era o bispo Dom Mauro Morelli, ligado às entidades de base da Igreja.

Pizzolato participou da coordenação da campanha na condição de diretor do Banco do Brasil, eleito pelos funcionários. A instituição foi encarregada pelo governo de dar apoio à mobilização no país inteiro. Nessa condição, Pizzolato viajou por mais de 3 mil municípios, para abrir as agências do banco para a formação de comitês que reuniam prefeitos e lideranças da cidade.

Na campanha de 2002, Pizzolato reuniu-se com empresários para fazer o clássico abre-alas de arrecadação financeira em campanhas eleitorais. Não levantava recursos, mas discutia programas e explicava propostas.

Uma década depois da campanha contra a fome, Pizzolato virou manchete, porque recebeu dois envelopes contendo um total de R$ 326.000 em seu apartamento. Afirma que recebeu um telefonema dizendo que era preciso buscar uma "encomenda" para o PT do Rio de Janeiro e mandou um mensageiro apanhar dois envelopes de formato desengonçado, que não chegou a abrir, afirma.

Na mesma época, Pizzolato comprou um apartamento de R$ 400.000.

Quando o escândalo explodiu, no ano seguinte, seu nome apareceu como destinatário dos R$ 326.000. Foi acusado de embolsar esse dinheiro como propina e em seguida comprar o imóvel.

Pizzolato sempre negou. Diz que não sabe o nome da pessoa que foi buscar o envelope, o que também não ajuda. Se sua versão é verdadeira, o PT do Rio de Janeiro, que recebeu R$ 2,7 milhões do esquema Delúbio Soares-Marcos Valério, poderia ter salvo Pizzolato se apresentasse o emissário encarregado de buscar o dinheiro. Isso não ocorreu. Considerando o tamanho do escândalo, seria difícil imaginar que o partido pudesse ter disposição para entregar um novo personagem na história.

Alguns dados importantes ajudam Pizzolato, porém. Quando seu sigilo fiscal foi quebrado, verificou-se que os números batiam. Ele havia comprado o imóvel com recursos declarados à Receita, inclusive uma parte em dólares, que havia adquirido — legalmente — num período em que o câmbio era favorável.

Pizzolato foi indiciado como responsável pelas antecipações destinadas à DNA. Na verdade, a maioria das remessas foram autorizadas em companhia de outros diretores, alguns remanescentes do governo de Fernando Henrique Cardoso. As decisões, por regra, eram tomadas de forma colegiada. Último a chegar, Pizzolato foi o único indiciado na Ação Penal 470.

A denúncia contra ele apoiou-se num testemunho de credibilidade comprometida, embora seu depoimento tenha sido até citado no tribunal. Uma gerente de mídia declarou que Pizzolato havia lhe dado ordem para autorizar o pagamento para campanhas que seriam fictícias.

Como aconteceu com o Banco Rural, cujos empréstimos foram autenticados pela Polícia Federal, uma auditoria interna no Visanet reuniu documentos capazes de sustentar que em sua maior parte eles chegaram a seu destino. Uma investigação da PF ainda confirmou que uma parcela pequena dos recursos restantes foi sacada diretamente do caixa, em dinheiro vivo, por funcionários da DNA. A PF concluiu ser impossível afirmar se este dinheiro foi enviado ao PT ou mesmo aos acionistas da agência ou a outras pessoas. Quanto à testemunha que denunciou Pizzolato, o rastreamento de um pagamento de R$ 2,2 milhões para a DNA mostrou que ela recebeu R$ 25.000 em sua conta.

O destino político e jurídico de Pizzolato ganhou outra envergadura depois que a revista "*IstoÉ Dinheiro*" publicou uma entrevista em que ele acusava Luiz Gushiken de ser o mandante dos pagamentos. "Eu não fazia nada sem que o Luiz Gushiken soubesse. Gushiken me disse: vai lá e assina", diz Pizzolato no depoimento publicado. Embora Gushiken tivesse chamado Pizzolato de "mentiroso" no mesmo dia em que leu a entrevista, sendo capaz de listar um bom conjunto de argumentos para contestar a acusação, por alguns dias o depoimento parecia dar sentido novo às investigações.

Não era mais uma coleta de recursos por parte de um publicitário e um tesoureiro de campanha.

Agora, falava-se de um esquema articulado dentro do governo, acima do diretor do Banco do Brasil. A entrevista fazia a descrição de uma operação clandestina, dentro do Estado brasileiro, para desviar recursos para o PT: "Se existia algo montado para favorecer o PT, era em escalões superiores, muito acima da diretoria de *marketing*".

Naqueles dias, os ânimos da oposição estavam em alta. Advogados ligados ao PSDB se mobilizavam para fazer um "estudo de pedido de *impeachment*" do presidente Luiz Inácio Lula da Silva, conforme entrevista de Miguel Reale Júnior, ministro da Justiça do governo Fernando Henrique Cardoso. Segundo Reale Júnior, a ideia tinha apoio do PNBE (Pensamento Nacional das Bases Empresariais), da Associação dos Advogados do Brasil, do Instituto dos Advogados de São Paulo e do vice-presidente da CNI (Confederação Nacional da Indústria), Carlos Eduardo Moreira Ferreira. (*Folha de S. Paulo*, 22/11/2005.)

A dificuldade é que o depoimento de Pizzolato foi ficando menor e menos nítido toda vez que ele voltou a tocar no assunto. Ao falar uma segunda vez na CPI, disse que Gushiken lhe dissera para "assinar o que é preciso assinar", frase que pode ser comprometedora ou inócua — conforme o contexto. Chegou a dizer que não havia dado a entrevista, mas essa declaração não foi considerada por parlamentares do PT.

Mesmo Cesar Borges, do DEM-BA, foi para cima de Pizzolato com uma intervenção dura, acusando-o de falar mentiras para fugir de suas responsabilidades.

Ao falar à Justiça, Pizzolato foi mais claro. Disse que se sentia constrangido e ameaçado na CPMI. Interrogado pelo juiz federal Marcelo Granado, declarou:

> **"JF MARCELLO GRANADO:** *Continua* (trata-se da continuação da leitura de trechos da denúncia), *aqui, o seguinte:*
>
> > 'Em depoimento prestado à CPMI dos Correios, Henrique Pizzolato esclareceu que autorizou todos os adiantamentos ao núcleo Marcos Valério, inclusive do montante de R$ 23 milhões, em razão de ordem dada pelo então Ministro Luiz Gushiken que, segundo ele, sempre disse 'assine o que é preciso assinar'.'
>
> *O que o senhor diz sobre isso?*
>
> **ACUSADO SR. HENRIQUE PIZZOLATO:** *Primeiro, eu queria lhe dizer, Excelência, que não confirmo o que está sendo dito aí sobre a CPMI dos Correios porque, na CPMI dos Correios, eu estava numa condição de ameaça, de constrangimento.*
>
> **JF MARCELLO GRANADO:** *Ameaça? Que tipo de ameaça?*
>
> **ACUSADO SR. HENRIQUE PIZZOLATO:** *Ameaça de que iriam me prender, todo tipo de ameaça física, de exposição, quando, na realidade, eu estava como testemunha. Então, não confirmo.*

Da mesma forma que o primeiro depoimento de Pizzolato teve um papel decisivo para incluir Luiz Gushiken entre os indiciados, essa retratação foi decisiva para que o ex-ministro fosse absolvido pelo STF.

Já na primeira parte de seu voto, Joaquim Barbosa admitiu: "nenhuma prova de fato corroborou ou auxiliou a provar que Luiz Gushiken tenha se reunido com Pizzolato ou com qualquer outro réu. Assim, concluo que não há prova de que Gushiken tenha participado da denúncia, razão pela qual eu o absolvo".

A acusação a Gushiken retirou de Pizzolato o apoio do partido, que ele não receberia de volta com a retratação — até porque, em termos políticos, o estrago maior já fora feito e parecia irremediável.

Mesmo negando até o fim, Pizzolato era o único réu contra quem era possível manter uma acusação de receber suborno.

Mesmo o ministro revisor, Ricardo Lewandowski, condenou Pizzolato por desvio de recursos públicos. Condenado por peculato, corrupção passiva e levagem de dinheiro, sua pena final chegou a 12 anos e sete meses, mais multa de R$ 1,2 milhão.

Mesmo o Banco do Brasil lhe deu um tratamento incomum. Contrariando o que ocorreu, inclusive no *impeachment* de Fernando Collor, quando o Banco respondeu pela defesa de executivos acusados, Pizzolato foi obrigado a defender-se por sua própria conta — como se já fosse considerado culpado antes do julgamento. Ele ainda foi obrigado a entrar com ações na Justiça para conseguir documentos que poderiam ser úteis à sua defesa.

(Esta nota foi refeita quase integralmente em 23/12/2012.)

© Carlos Moura/CB/D.A Press

Ministro Joaquim Barbosa,
durante sessão do julgamento

CAPÍTULO 9.
CASUÍSMO NO MENSALÃO?

20h15, 16/8/2012
Paulo Moreira Leite

É possível enxergar efeitos políticos por trás do debate sobre a metodologia do julgamento do mensalão. Joaquim Barbosa resolveu apresentar seu voto de maneira fatiada em oito partes. Apresenta sua opinião sobre cada denúncia e então seu voto. Em seguida, o ministro revisor, Ricardo Lewandowski, apresenta seu voto. O plenário se manifesta. Em oito capítulos.

Aprendi, nos meus cursos de filosofia, que a única forma de compreender o mundo é do geral para o particular — e não o contrário. Também aprendi que, nas contas matemáticas, a ordem dos fatores pode não alterar o produto. Na vida real, isso pode acontecer.

Há um problema de conceito no julgamento. Essa discussão atravessa as denúncias contra todos os réus: foi um caso de compra de votos? Foi simples caixa dois? Uma mistura de ambos? Esse é o conceito.

Os partidos do governo Lula atuaram de forma convencional, como sempre fizeram — no mensalão tucano, no mensalão do DEM — ou agora estamos diante de uma "organização criminosa"?

É isso o que todos querem saber. O Ministério Público fala em "compra de consciências", em "suborno", em "propina" para fatos que, na visão de muitas pessoas, honradas, com passado político democrático e respeitável, nada mais representam que uma velha expressão de nossos maus costumes eleitorais. Alimentada por um discurso moralista que esconde uma imensa hipocrisia, nossa democracia funciona assim — e funciona.

Temos uma acusação séria, com fatos demonstrados e bem explicados, ou temos uma acusação oportunista, de fundo político?

Num julgamento fatiado em partes, evita-se o debate principal, que envolve o conceito do mensalão para se partir para uma etapa posterior, que é julgar as denúncias específicas — o que só seria possível depois que o plenário já houvesse deliberado sobre aquilo que está em debate.

O debate sobre as partes abafa a discussão geral. E abafa, claramente, as opiniões da defesa e também a dissidência de Lewandowski. Este não terá direito a expor "outra visão" sobre o caso. Estará na defensiva, como o sujeito que pode ou não criticar a tese anterior, acrescentar uma ideia ou desconstruir um argumento.

É uma ordem que favorece a acusação, e não a defesa. Estudiosos do Direito ensinam que, em matéria penal, quando está em risco a perda da liberdade dos réus, o mais importante é assegurar uma ampla defesa. Mais do que nunca deve vigorar, ali, a convicção de que todo acusado é inocente até prova em contrário.

Não se trata de dizer quem possui a melhor argumentação. Barbosa mostrou, hoje, que tem um voto estruturado, com fatos e argumentos. Imagino que Lewandowski terá um voto com a mesma qualidade.

A mudança evita o debate principal do julgamento. É como se ele já houvesse ocorrido. Foi por esse motivo que José Carlos Dias, um dos principais advogados brasileiros, tucano com todas as carteirinhas, foi ao microfone para pedir ao plenário que reconsiderasse a decisão.

É curioso que, no meio do julgamento, Barbosa tenha tocado no problema do tempo. Não, não falou sobre a aposentadoria de Cezar

A OUTRA HISTÓRIA DO MENSALÃO

Peluso, que pendura a toga em 3 de setembro e é visto como um voto seguro pela condenação da maioria dos acusados. Barbosa referiu-se a seus problemas de saúde ao dizer que se o julgamento demorasse muito, ele também não poderia estar presente.

Será que as regras mudaram para facilitar um julgamento rápido? Não tenho a menor disposição para criticar o Supremo. Tampouco tenho competência jurídica para isso. Mas o nome disso não é casuísmo? Claro que o mais importante é realizar um bom julgamento, transparente. É mais importante que o prazo.

E para quem acha que a defesa quer atrasar a decisão para evitar prejuízos nas eleições municipais, a recíproca, aqui, é verdadeira: também é possível dizer que a acusação quer apressar para garantir o efeito eleitoral de sua decisão, concorda?

© Renato Weil/EM/D.A Press

O governador de Minas
Gerais, Eduardo Azeredo,
candidato à reeleição,
durante campanha

CAPÍTULO 10.
MORALIDADE DE UM LADO SÓ

5h45, 22/8/2012
Paulo Moreira Leite

Os adversários do financiamento público de campanha dizem que as verbas privadas são uma forma de os eleitores expressarem sua opinião política. Dar dinheiro, assim, seria uma forma de liberdade de expressão.

Seria possível começar a debater essa visão desde que se aceitasse um limite para contribuições individuais, compatível com a renda média do cidadão brasileiro. Mas não é disso que se trata, na verdade. Porque a discussão sobre financiamento de campanha envolve um esforço para garantir a colonização do Estado pelo poder econômico, impedindo que um governo seja produto da equação um homem = um voto.

Eis aqui o centro da questão.

Tesoureiros políticos arrecadam para seus candidatos, empresários fazem contribuições clandestinas e executivos que têm posições de mando em empresas do Estado ajudam no desvio. Operadores organizam a arrecadação eleitoral e contam com portas abertas para tocar negócios privados. Fica tudo em família — quando são pessoas com o mesmo sobrenome.

Foi assim no mensalão tucano também, com o mesmo Marcos Valério, as mesmas agências de publicidade e o mesmo Visanet. Um publicitário paulista garante pelos filhos que em 2003 participava de reuniões com Marcos Valério para fazer acertos com tucanos e petistas. Era tudo igual, no mesmo endereço, duas faces do mesmo espetáculo.

Só não houve igualdade na hora de investigar e julgar. Por decisão do mesmo tribunal, acusados pelos mesmos crimes, os mesmos personagens receberam tratamentos diferentes quando vestiam a camisa tucana e quando vestiam a camisa petista. É tão absurdo, que deveriam dizer em voz baixa: "Sou ou não sou?" Ou: "Que rei sou eu?".

Diante da hipocrisia absoluta da legislação eleitoral, sua contrapartida necessária é o discurso moralista, indispensável para dar uma satisfação ao cidadão comum. Os escândalos geram um sentimento legítimo de revolta e inconformismo, estimulando o coro de "pega ladrão!", "dar uma satisfação à sociedade" ou "dar um basta na impunidade!". Bonito e inócuo. Perverso, também.

Até porque a coisa é feita sempre de forma seletiva e controlada por quem tem o poder de escolher os inimigos. Não se quer, nem de longe, criar um sistema de financiamento público, sujeito a controles simples e transparentes. Por quê? Porque esse sistema é o menos favorável aos interesses privados, é aquele que mais protege a vontade do eleitor e, em certa medida, o próprio eleito — que se torna menos vulnerável à pressão de quem patrocina sua campanha.

Acredite: no sistema atual de financiamento não há político, por melhor que seja, capaz de dar o mesmo tratamento a um cidadão da periferia que está ao telefone para reclamar uma medida urgente em seu bairro e àquele empresário que tem um "assunto urgente" a tratar depois de assinar um cheque de R$ 1 milhão.

Não é a liberdade de expressão financeira que se discute aqui. É o direito desigual de acesso ao Estado. Por isso é uma discussão tão difícil.

A OUTRA HISTÓRIA DO MENSALÃO

A discussão dos valores democráticos nem sempre é fácil.

Em 1964, o mais duradouro golpe contra a democracia brasileira em sua história teve como um dos motes ilusórios a eliminação da corrupção. O outro era eliminar a subversão, como sabemos. Isso demonstra não só que a corrupção é antiga, mas que a manipulação da denúncia e do escândalo também é. Também lembra que quase está sempre associada a uma motivação política.

Entre aqueles que se tornaram campeões da moralidade de 1964, um número considerável de parlamentares recebeu, um ano e meio antes do golpe, US$ 5 milhões da CIA para tentar emparedar João Goulart no Congresso. Depois do 31 de março essa turma deu posse a Ranieri Mazzilli, alegando que Jango abandonara a Presidência, embora ele nunca tenha pedido a renúncia.

Seis anos depois do golpe, o deputado Rubens Paiva, que liderou a CPI que apurou a distribuição de verbas da CIA e foi cassado logo nos primeiros dias, foi sequestrado e executado por militares que diziam combater a subversão e a corrupção.

O alvo era outro. A democracia, a sempre insuportável equação um homem = um voto.

Acho sintomático que a oposição e grande parte da imprensa — nem sempre elas se distinguem — tenham assumido a perspectiva de associar, quatro décadas depois, a corrupção com aquelas forças e aquelas ideias que em 1964 se chamavam de subversão.

A coisa pretende ser refinada, embora se pratique uma antropologia de segunda mão, uma grosseria ímpar. Não faltam intelectuais para associar Estado forte a maior corrupção, proteção social a paternalismo e distribuição de renda a troca de favores. Ou seja: a simples ideia de bem-estar social, conforme essa visão, já é um meio caminho da corrupção.

Bolsa-família, claro, é apresentada como compra de votos. Como o mensalão, ainda que nenhuma das 300 testemunhas ouvidas no inquérito tenha confirmado isso e o próprio calendário das votações desminta uma conexão entre uma coisa e outra. A denúncia reafirma que a distribuição de recursos era compra de consciência, era corrupção — você já viu aonde essa turma pretende chegar.

A corrupção dos subversivos é intolerável, enquanto a dos amigos de sempre vai para debaixo do tapete.

Desse ponto de vista, acho mesmo que o julgamento tem um sentido histórico. Não por ser inédito, mas por ser repetitivo.

A farsa é o contexto. Veja quantas iniciativas já ocorreram. O desmembramento, que só foi oferecido aos tucanos. O fatiamento, que apanhou o revisor de surpresa. Agora que a mudança de regras garantiu que Cezar Peluso poderá votar pelo menos em algumas fases do processo ("é melhor que nada", diz o procurador-geral), já se coloca outra questão: o que acontecerá se o plenário, reduzido a dez, votar em empate? Valerá a regra histórica, que eu aprendi com uns oito anos de idade, pela qual na dúvida os réus se beneficiam? Ou o presidente Ayres Britto votará duas vezes?

E, se, mesmo assim, houver uma dissidência de quatro votos, o que acontecerá? Vai se aceitar a ideia de que é possível tentar um recurso infringente?

No arquivo das possibilidades eventuais, surgiu uma conversa do ministro Antônio Dias Toffoli, às 2h30 da madrugada, numa festa em Brasília. No diálogo, sem saber que suas palavras poderiam chegar a terceiros, o ministro xingava o jornalista Ricardo Noblat com palavrões e expressões grosseiras. Ao chegar em casa, Noblat publicou em seu blog uma nota que relatava em todos os detalhes a conversa de Toffoli.

No vale-tudo, servirá para constranger um pouco mais o ministro que chegou ao Supremo depois de ter sido advogado de Lula e da Casa Civil, no tempo de José Dirceu.

Enquanto isso, os visitantes que chegam à Praça dos Três Poderes demonstram mais interesse em tirar foto turística para o Facebook que em seguir os debates, como revelou reportagem de *O Globo*.

Minha mãe ria muito de uma vizinha, que dias antes do 31 de março de 1964 foi às ruas de São Paulo protestar a favor de Deus, da Família, contra a corrupção e a subversão. Quando essa vizinha descobriu, era um pouco tarde demais e a filha dela já havia virado base de apoio da guerrilha do PC do B. O diplomata e historiador Muniz Bandeira conta que a CIA trouxe até padre americano para ajudar na organização daqueles protestos.

A marcha de 1964 foi um sucesso, escreveu o embaixador norte-americano Lincoln Gordon num despacho enviado a seus chefes em Washington, já envolvidos no apoio e nos preparativos do golpe. Mas era uma pena, reparou Gordon, que houvesse tão poucos trabalhadores e homens do povo.

© Daniel Ferreira/CB/D.A Press

Secretário do Núcleo de Assuntos Estratégicos
da Presidência da República, Luiz Gushiken,
durante depoimento à Comissão Parlamentar
Mista de Inquérito - CPMI dos Correios

CAPÍTULO 11.
GUSHIKEN E O POPULISMO PENAL MIDIÁTICO

9h, 23/8/2012
Paulo Moreira Leite

O desagravo de Ricardo Lewandowski a Luiz Gushiken deve servir de advertência a quem acompanha seriamente a denúncia do mensalão. O ministro foi além de Joaquim Barbosa e do procurador Roberto Gurgel, que pediram a absolvição de Gushiken por falta de provas. Lewandowski disse que o ex-ministro deveria ser proclamado inocente.

Na verdade, a única base da denúncia contra Gushiken desapareceu há muito tempo. Responsável pelo *marketing* do Visanet, centro dos desvios para Marcos Valério, Henrique Pizzolato disse que recebera ordens de Gushiken ao depor na CPMI dos Correios. Mais tarde, depondo na Justiça, Pizzolato se retratou e disse que faltara com a verdade.

Todos sabiam disso, e assim mesmo Gushiken foi indiciado. Quando os advogados de Gushiken protestaram contra a falta de qualquer prova, a resposta foi que, se ele fosse mesmo inocente, acabaria absolvido mais tarde.

Homens públicos devem ter uma pele dura e grossa para enfrentar ataques inevitáveis. Concordo. A coisa é um pouco mais séria, porém.

HISTÓRIA AGORA

Gushiken passou os últimos sete anos com a vida revirada pelo avesso. Teve até conta de um jantar em São Paulo examinada pelo TCU e divulgada pelos jornais, naquele tom de suspeita — e preconceito — de quem se permite identificar sinais de deslumbramento e "novo-riquismo" em todo cidadão que entrou na vida pública pela porta de serviço das organizações populares, em seu caso, o movimento sindical. Até a marca de vinho era tratada como esbanjamento. Certa vez, uma diária de hotel, a preço médio, foi publicada como se fosse gasto exagerado, seguindo a máxima do baixo jornalismo que diz que nenhuma publicação perde dinheiro quando aposta na ingenuidade de seus leitores.

Falando sobre o mensalão, a pressão sobre a Justiça, Luiz Flávio Gomes, antigo juiz e estudioso da profissão, escreveu recentemente a respeito o mensalão:

"Muitos juízes estão sendo estigmatizados pelo populismo penal midiático, e isso coloca em risco, cada vez mais, a garantia da justiça imparcial e independente. O risco sério é a célebre frase 'Há juízes em Berlim' (que glorifica a função da magistratura de tutela dos direitos e garantias das pessoas frente aos poderes constituídos) se transformar num vazio infinito com a consequente regressão da sociedade para a era selvagem da lei do mais forte, onde ganha não a Justiça, e sim quem tem maior poder de pressão."

Alceni Guerra, deputado do PFL do Paraná, foi alvo de denúncias furiosas durante o governo Collor. Quando se descobriu que nada se podia provar contra ele, Alceni foi inocentado e tornou-se um símbolo da precipitação e da falta de cuidado. Não aguardou sete anos. Os mesmos veículos que divulgaram denúncias contra ele fizeram questão de retratar-se.

Havia duas razões especiais para manter Gushiken no centro da acusação, mesmo depois de ter ficado claro que nada havia de concreto contra ele. Uma causa era política. Com uma ligação histórica com Lula, que lhe deu um posto estratégico na coordenação da

Ricardo Lewandovski chega ao STF para uma sessão do julgamento

campanha de 2002, manter a acusação era uma forma de manter a denúncia perto do presidente. Ajudava a incluir um membro do primeiro escalão naquilo que o Procurador-Geral chamou de "quadrilha" e "organização criminosa".

Considerando que José Dirceu, o outro acusado com patente ministerial, só foi denunciado por uma testemunha especialista em autodesmentidos como Roberto Jefferson, a presença de Gushiken dava um pouco de tonelagem à história, concorda?

A outra causa é que Gushiken foi um adversário irredutível das pretensões do banqueiro Daniel Dantas de manter o controle da Brasil Telecom. E aí, chegamos a um aspecto muito curioso sobre aquilo que o juiz Luiz Flávio Gomes chamou de populismo penal midiático. Banqueiro com cadeira reservada no núcleo das privatizações do governo FHC, Daniel Dantas também queria espaço no governo Lula. Pagou com contrato com as agências do esquema. O delegado Luiz Flavio Zampronha observa que a vontade de se acertar com Valério e Delúbio era tamanha, que a turma nem sequer pediu uma avaliação técnica da agência que fazia o serviço anterior. Mesmo assim, nada lhe aconteceu.

Confesso que até agora não encontrei uma boa explicação a respeito.

Deixando de lado o personagem Daniel Dantas e colocando uma tese geral: será que dinheiro privado é mais inocente? Será que vale aqui a regra de que acusado de corruptor é menos culpado que o corrupto?

É engraçado nosso populismo penal midiático.

Gushiken foi tratado como culpado até que a inanição absoluta das acusações falasse por si. No auge das denúncias contra ele, dois jornalistas de São Paulo foram autorizados a fazer uma devassa nos arquivos da Secretaria de Comunicações, procurando provas para incriminá-lo. O próprio Gushiken autorizou o levantamento, sem impor condições. Os jornalistas nada encontraram, mas nem sequer fizeram a gentileza de registrar publicamente o fato. É certo que não seria possível chegar a uma conclusão definitiva com base nisso. Mas, naquelas circunstâncias, seria pelo menos um indício de inocência, se é que isso existe, não é mesmo?

A tardia declaração de inocência de Gushiken é uma lição do populismo penal midiático. A vítima é você.

(Trechos desta nota foram reescritos em 24 de agosto.)

Comentário da assessoria de comunicação do *Opportunity* sobre esta nota

Daniel Dantas também foi acusado, com estardalhaço na imprensa, de ter contratado a Kroll para "espiar o alto escalão do governo Lula" (leia-se Luiz Gushiken, ex-ministro, e Cássio Casseb, ex-presidente do Banco do Brasil).

Essa denúncia gerou a operação Chacal, em 27 de outubro de 2004, quando a sede do Opportunity e as casas de Daniel Dantas e de Carla Cico, ex-CEO da Brasil Telecom, foram invadidas pela PF.

Em 2006, ocorreu uma reviravolta no caso Kroll quando inquérito da Procuradoria de Milão mostrou que a operação Chacal foi uma farsa. No caso Daniel Dantas não houve retratação.

O caso Kroll/Chacal rendeu 835 matérias negativas. Após sete anos de espera, a absolvição de Daniel Dantas, em fevereiro de 2012, rendeu três notas em pé de página na imprensa escrita e setenta e seis matérias na online.

© Monique Renne/CB/D.A Press

Ricardo Lewandovski e,
ao fundo, Cesar Peluso

CAPÍTULO 12.
LEWANDOWSKI SOB PRESSÃO

7h16, 24/8/2012

Paulo Moreira Leite

Quem pensava que o julgamento do mensalão seria um pelotão de fuzilamento já deve estar com as barbas de molho depois do voto de Ricardo Lewandowski. Você pode pensar o que quiser de Lewandowski. Pode até lembrar que dona Marisa Lula da Silva teve grande influência em sua nomeação para o STF. E pode até achar que isso desqualifica sua escolha e seus votos. Mas Lewandowski deu um voto claro e bem pensado, com argumentos e com fatos relevantes. Os especialistas dizem isso. Não eu.

Na véspera, ele condenou Henrique Pizzolato, Marcos Valério e outros envolvidos em desvio de verbas do Visanet. Parecia que ia repetir a dose, condenando João Paulo Cunha, que era presidente da Câmara dos Deputados e foi acusado por Joaquim Barbosa de um desvio de pelo menos R$ 10 milhões em verbas de publicidade da casa.

Lewandowski questionou essa acusação com dados obtidos por auditores do TCU. Mostrou que o dinheiro supostamente desviado havia sido usado onde deveria e por quem deveria. Também mostrou dados que sugerem que os R$ 50 mil — a única vinculação conhecida de João Paulo com o esquema de Marcos Valério-Delúbio Soares — que a mulher do deputado foi buscar no Banco Rural foram usados com despesas de campanha. Citou vários testemunhos para sustentar isso. Citou peritos e se apoiou em documentos.

Você pode, é claro, duvidar dessa interpretação. Mas é recomendável encontrar fatos para apoiar o que pensa. A tese da acusação é que os R$ 50.000 foram usados como propina para Valério conseguir o contrato de R$ 10 milhões. Verdade? Mentira? Apenas com fatos novos é possível sustentar outra visão.

Após o voto de Lewandowski já não vale ficar falando que tudo é *"pizza"* e clamando contra a impunidade sem que se saiba, com clareza, o que deve ser punido, quem, por que e com base em quê.

E agora?

É certo que teremos nova confusão. Depois de deixar a definição do sistema de votação para o plenário, Ayres Britto terá de se haver com um conflito anunciado. Barbosa já disse que quer responder ao voto do revisor. Lewandowski, por sua vez, já disse que se houver réplica do relator, vai querer uma tréplica. E aí ninguém sabe como a coisa vai continuar.

Só é preciso lembrar que vai ficar feio se surgirem tentativas — insinuadas entre comentaristas e observadores do julgamento — interessadas em enquadrar Lewandowski. Já começam a dizer que ele falou demais, que extrapolou… Agora se diz que o papel de revisor não pode ser contestar o relator, contrapor-se, apresentar outra visão.

As regras do fatiamento foram apresentadas na última hora ao tribunal. Se outros juízes já tinham conhecimento delas, o próprio Lewandowski deixou claro que foi o último a saber. A defesa fez o possível para convencer Ayres Brito a voltar atrás. A resposta foi um sorriso antes da explicação de que a matéria estava (ou era) preclusa…

Não é conveniente, agora, mudar as regras de novo. Vai ficar feio. Vai dar a impressão de que as regras só servem quando ajudam uma

A OUTRA HISTÓRIA DO MENSALÃO

das partes. E só estamos no primeiro item do voto de Barbosa. São oito. Se tivermos réplicas e tréplicas todas as vezes, vai ser difícil dizer que a defesa é que está fazendo tudo para prolongar o julgamento e impedir um veredito antes das eleições para prefeito.

E os demais ministros, quando começam a votar? Ninguém sabe. E o Cezar Peluso, cuja aposentadoria motivou tantas mudanças no calendário, como fica? Muito menos. Se der empate no final, como fica o voto de Ayres Britto? Votará duas vezes?

Essa é a dura realidade do julgamento. Já havia sido um pouco exagerado definir claramente as regras de votação — o fatiamento — quando todos estavam certos de que seria um debate convencional, com o ponto de vista do relator, depois do revisor e assim por diante.

O voto de Lewandowski foi importante por causa do conteúdo. Mostrou que é possível apontar fragilidades na denúncia. Deixou claro que a tese da "organização criminosa" que comandava uma rede de assalto ao Estado, com seus núcleos e uma divisão de trabalho de estilo mafioso, é muito fácil de descrever, mas difícil de demonstrar com provas consistentes. É fácil falar em "compra de consciência" para quem acredita que todos os políticos são corruptos. Mas é difícil sustentar que isso aconteceu quando as pessoas têm o direito de se defender, de dar sua versão e usufruir de todas as garantias de um regime democrático. São centenas de testemunhas que negam a denúncia. Não custa lembrar. Há muito tempo a testemunha principal parou de dizer aquilo que disse.

Lewandowski foi ouvir o outro lado, foi perguntar aquilo que ninguém sabia e não queria saber. Não inocentou ninguém por princípio. Tanto que, na véspera, deu um voto igual ao do relator. Mas ele deixou claro que enxerga a denúncia de uma forma diferenciada, numa visão que se encaminha para negar que todos estivessem envolvidos na mesma atividade, fazendo as mesmas coisas, porque todos fariam parte de uma "organização criminosa", sob o comando de um "núcleo político", e outros "núcleos" estruturados e organizados.

É claro que Lewandowski enxerga o crime, o roubo, a bandalheira. Mas sabe que há casos em que é legítimo falar em corrupção. Em outros, há crime eleitoral. Mas não quer fingir que tem o domínio de fatos que não conhece por inteiro. Por isso ele diferencia a "verdade processual", aquela que se pode conhecer, da "Verdade", aquela que se pode até imaginar, conceber, descrever, mas não cabe nos autos.

Vamos falar de vida real.

É complicado imaginar que José Dirceu e Luiz Gushiken pudessem participar de uma mesma organização. Mesmo quem quer acreditar que ambos são personagens sem uma gota de escrúpulo — é uma hipótese — deveria saber que é difícil imaginar que os dois pudessem ficar mais de cinco minutos em qualquer tipo de organização, mesmo que fosse uma inocente tropa de escoteiros — muito menos uma quadrilha, que exige um grau de confiança, de intimidade e lealdade que os dois nunca tiveram. Eles passaram boa parte da vida pública, da campanha e do governo conspirando um contra o outro, falando mal um do outro, disputando e até se sabotando. Como é que poderiam se unir para uma ação comum, clandestina, arriscadíssima? Como é que Gushiken, aliado e padrinho de Palocci no início do governo, se subordinaria a Dirceu, adversário e concorrente?

A visão que ignora as verdades duras da política não combina com essa denúncia. É coisa de quem pretende acreditar que todos são criminosos comuns, 100% despolitizados.

Voltando a Lewandowski. Ele deixou claro que, para acreditar na tese de que João Paulo desviava recursos públicos da Câmara — isso é sempre importante para caracterizar corrupção —, seria preciso acreditar que ele envolveu as principais empresas de comunicação do país nessa empreitada.

A OUTRA HISTÓRIA DO MENSALÃO

Se fossem verdadeiras, as célebres falsas despesas que teria declarado para desviar dinheiro envolviam os principais grupos de mídia do país, as emissoras de maior audiência, os jornais de maior circulação. Imagine o surrealismo: os mesmos grupos que faziam a denúncia do mensalão durante o dia estariam se locupletando com João Paulo à noite pelo mesmo crime que denunciavam. Desculpem, mas se isso fosse verdade, o "maior escândalo da história" teria de ser chamado de "mensalão do português", com todo o respeito, apenas como uma homenagem aos tempos em que nossos humoristas se vingavam de nossa experiência colonial. Mais uma vez, está tudo lá, com recibo, perícia e assim por diante. Ou seja: ao menos nesse caso não houve desvio nem terceirização suspeita. Os veículos de comunicação receberam pagamentos legítimos para veicular publicidade definida em campanhas da Câmara. Ponto. Parágrafo.

O voto de Lewandowski tem a modéstia de quem admite que está diante de uma realidade mais complexa e compreende que ela só é compreensível com base em uma visão sofisticada, sem simplismos nem frases de efeito. Não sei qual efeito seu voto terá sobre os demais ministros. Também não faço ideia de seu posicionamento nos próximos itens do julgamento. Mas está na cara que sua intervenção, que teve de ser reescrita à última hora para se adaptar às regras a que só foi apresentado com o debate já em andamento, representou uma contribuição lúcida ao debate. Ninguém precisa estar de acordo com ele. O julgamento só começou e ainda há muito para ser debatido. Algumas das vozes mais experientes da casa nem sequer se posicionaram e terão muito a dizer.

Mas acredite: todos terão a ganhar com isso.

João Paulo Cunha após a condenação

CAPÍTULO 13.
PROVAS DIFERENTES, CONDENAÇÕES IGUAIS

12h23, 28/8/2012
Paulo Moreira Leite

Após a votação do Supremo, fiquei com diversas dúvidas sobre os quatro votos que condenaram o deputado João Paulo Cunha por corrupção passiva.

Gosto de admitir — algumas pessoas preferem esconder — a extrema modéstia de meus conhecimentos jurídicos. Mas, esforçado espectador do julgamento, reparo no seguinte:

1. Os debates mostraram que é difícil sustentar com isenção a tese da acusação de que João Paulo negociou um contrato fajuto de R$ 10 milhões com as agências de Marcos Valério. Ricardo Lewandowski mostrou, na sexta-feira, que o contrato era verdadeiro, implicou despesas reais, a maior parte delas — R$ 7 milhões — assumidas pelos grandes veículos de comunicação do país. Se a tese de contrato falso for mantida, essas empresas teriam de devolver o dinheiro recebido, como o próprio Lewandowski lembrou. Houve desvio na parte restante? Onde? Como? Também não se demonstrou.

Podemos até suspeitar, imaginar, lembrar que essas concorrências são esquisitas, mas...

2. Se os contratos eram reais, cadê a corrupção? Se os fornecedores fizeram sua parte, e receberam por ela, e isso se demonstra com notas fiscais, a impressão é que foi feito um contrato padrão entre um órgão público e empresas prestadoras de serviço. A menos, claro, que se demonstre que tenha havido superfaturamento. Não se fez isso, pelo menos até agora.

3. Sobrou, então, o pagamento de R$ 50 mil que a mulher de João Paulo foi buscar no Banco Rural, deixando nome e sobrenome. Equivale a 0,5% do valor do contrato. A ministra Carmen Lúcia acha que a mulher de João Paulo foi ao banco porque tinha certeza da própria impunidade. É claro que o pressuposto dessa visão é que a mulher do deputado era culpada, sabia disso e não se preocupava. Toffoli, que votou pela absolvição de João Paulo, acha que isso prova o contrário. Se fosse dinheiro de propina, argumenta, João Paulo não enviaria a própria mulher para apanhá-lo. O pressuposto de Toffoli, claro, é que se trata de uma pessoa inocente. Os dois argumentos devem ser considerados. A discussão é longa e me parece subjetiva demais para uma conclusão.

4. Talvez por uma razão que não tem a ver diretamente com as provas, João Paulo apresentou várias versões quando os R$ 50.000 foram descobertos e é isso que pode estar sendo usado contra ele. Não se fala mais do caráter fajuto do contrato, mais complicado de sustentar. Não se fala em desvios, porque não há testemunhas. O

que se sabe — e isso ninguém nega — é que João Paulo disse que sua mulher fora ao banco pagar uma conta da TV a cabo. Depois, voltou atrás e disse que era dinheiro de campanha, pago por Delúbio Soares. Trouxe testemunhas e notas fiscais que dão sustentação a essa versão.

5. O problema é que a mentira tanto pode servir para encobrir o que seria uma propina paga por Valério — como querem os ministros alinhados com a acusação — como também é coerente com a história de caixa dois, de quem se alinha com a defesa. Nenhum sujeito apanhado com dinheiro de caixa dois sai por aí dizendo que recebeu por fora, que está sonegando imposto e assim por diante. Tenta sempre contar uma história falsa, para se livrar de novas implicações.

6. Admitindo que João Paulo não falou a verdade e foi obrigado a corrigir-se, pode-se até fazer uma crítica moral. Mas tenho dúvidas se ele merecia ser condenado a nove anos e quatro meses de prisão.

© José Varella/CB/D.A Press

Deputado Ronivon Santiago, que foi gravado quando admitia ter recebido R$ 200 mil para votar a favor do artigo que permitiu a reeleição de FHC

CAPÍTULO 14.
SEGUNDAS IMPRESSÕES DO MENSALÃO

9h45, 31/8/2012
Paulo Moreira Leite

Leio e ouço que a decisão da primeira fase do STF mostra que os tempos estão mudando e que a votação de nove a dois contra os réus indica uma opção contra a impunidade.

Confesso que sempre gostei de Bob Dylan e sou daqueles que acreditam e torcem por mudanças. Mas não sei se é a isso que estamos assistindo. Mudança, no Brasil, é conseguir o básico. No caso da Justiça, garantir direitos iguais para todos, qualquer que seja sua cor, credo, condição social ou opinião política. Será que é isso que estamos vendo?

Estrelado pelo mesmo esquema, com personagens iguais e outros equivalentes, o mensalão do PSDB-MG segue quieto lá nas Alterosas.

O tratamento desigual para situações iguais é constrangedor. Ao dar uma entrevista a Mônica Bergamo, o relator Joaquim Barbosa lembrou que a imprensa nunca deu a mesma importância ao mensalão mineiro. Ele até disse que, quando tocava no assunto, os repórteres reagiam com um "sorriso amarelo".

Acho bom quando um ministro do Supremo se refere ao tratamento desigual que parte da mídia dispensou aos dois mensalões. Mostra que isso não é "coisa de mensaleiro petista", não é mesmo?

Mas há outro aspecto. O fato de a imprensa dar um tratamento desigual é um dado da política brasileira, e, no fim das contas, diz respeito a um jornal e seus leitores. Como leitor, posso até achar que a imprensa deve tratar todos da mesma maneira, deve procurar ser isenta, mas a liberdade de expressão garante que todo jornal e todo jornalista tenham suas preferências, suas prioridades e opções. Salvo patologias criminosas, todos têm o direito de exercitá-las.

A visão que você lê neste blog é diferente daquela que vai encontrar em outros lugares. É bom que seja assim.

A justiça não. Esta deve ser tão isenta, que a querem cega. E aí, *data venia*, quem sorri amarelo, nesse caso, é quem desmembrou o mensalão (do PSDB) mineiro e unificou o mensalão petista.

Porque estamos falando de um tratamento desigual para situações idênticas, no mesmo país, no mesmo sistema, no mesmo tribunal. O direito de uns foi reconhecido. O de outros, não. Às vezes, chegou-se a uma situação surrealista. Nos dois casos, o "núcleo operacional", para usar a definição do Procurador-Geral, é o mesmo. Marcos Valério, Cristiano Paz e os outros. O Banco Rural também. As técnicas de arrecadação e distribuição de recursos eram as mesmas. Só mudou o núcleo político. Então, desculpem-me, mas o problema está na política. Sim.

Por causa do desmembramento, podemos ter sentenças diferentes para o mesmo caso.

Se o mensalão petista houvesse sido desmembrado, o deputado João Paulo e outros dois parlamentares acusados até poderiam ser julgados em Brasília, como o deputado Eduardo Azeredo será quando seu dia chegar. (O mensalão tucano é mais antigo, mas anda mais devagar, também. Ainda estão colhendo depoimentos, ouvindo testemunhas...) Ainda assim, teremos outros prazos e, muito possivelmente, outras penas.

A OUTRA HISTÓRIA DO MENSALÃO

Mas, em caso de desmembramento, José Dirceu e José Genoino, para ficar nos nomes mais ilustres e simbólicos, teriam sido reencaminhados para a Justiça comum, com direito a dois julgamentos antes da condenação. O Ibope seria menor. E não estou falando só da repercussão nas eleições municipais de 2012. Por favor: a questão não se resume ao novo candidato do PT à prefeitura de Osasco. Nós sabemos que o troféu principal do julgamento é Dirceu. O número dois, Genoino. É por isso que o caso se encontra no STF. Ali tem mais holofotes.

No início do julgamento, Gilmar Mendes chegou a sugerir que as chances de os réus serem absolvidos eram maiores num julgamento desmembrado que num processo unificado. Concordo. Mas, se isso for verdade, por que mesmo se deu um tratamento diferenciado?

Uma sentença do Supremo é um acontecimento duradouro. Repercute hoje, amanhã, no ano que vem e daqui a uma década. Destrói uma vida, aniquila uma reputação.

Como disse Pedro Abramovay, que passou os dois mandatos de Lula em posições importantes na área jurídica do governo, o mensalão propriamente não foi julgado. Aquela denúncia, de compra de consciências, que é o centro da acusação do procurador Roberto Gurgel, ficou para mais tarde.

As provas de que os parlamentares colocavam dinheiro no bolso para mudar seu voto não apareceram até agora. Isso apareceu quando o deputado Ronivon Santiago (olha só, mais um roqueiro no debate) admitiu que havia recebido R$ 200.000 para votar a favor da reeleição de Fernando Henrique Cardoso, em 1997. Ali foi compra de votos. Pelo menos ele disse isso. Os mais de 300 ouvidos no mensalão sempre negaram. Todos. Até Roberto Jefferson mudou o depoimento na hora que era para valer.

Mas o caso da emenda da reeleição nem sequer mereceu um processo tão grande. Nada aconteceu com seu núcleo político, vamos combinar. E é isso que mostra que tudo pode estar mudando para que nada mude.

O deputado João Paulo Cunha foi condenado a nove anos e quatro meses de prisão em razão de uma prova que pode ser discutida. A de que recebeu uma propina de R$ 50.000 para aprovar um contrato de R$ 10 milhões com as empresas de Marcos Valério. Você pode até dizer que é tudo "parte do mesmo esquema" e dar aquele sorriso malicioso de quem acha todos os argumentos contrários apenas ingênuos ou cúmplices, mas vamos combinar que há um pressuposto nessa visão.

O pressuposto é de que não houve nem podia haver outro tipo de pagamento nessa operação. Não podia ser dinheiro de campanha, nem recurso de caixa dois. O problema é que as campanhas costumam ser feitas com caixa dois, que deve ser apurado, investigado e punido. Mas é outro crime.

Caixa dois não é uma "tese" da defesa. Pode ser "tese" artificial ou pode ser uma "tese" com base na realidade. Mas a sonegação existe, está aí, pode ser demonstrada em vários momentos da vida brasileira, inclusive em campanhas eleitorais. Existem empresas criadas especialmente para ajudar os interessados nesse tipo de coisa.

Acho positivo o esforço de questionar e desvendar o que está por trás das coisas. Mas não sei se nesse caso tudo ficou tão demonstrado como se gostaria.

Por exemplo: Os milhões de dólares que Paulo Maluf mandou para o exterior foram comprovados. Funcionários das empreiteiras explicaram, detalhadamente, como o esquema funcionava, como se fabricavam notas frias e como se fazia o desvio dos recursos públicos. No entanto, Maluf hoje em dia não pode viajar por causa de um mandado da Interpol. Mas não cumpre pena de prisão. Foi preso quando havia o risco de fugir.

Outro exemplo: As agências de Marcos Valério foram acusadas de embolsar um dinheiro a que não teriam direito nos contratos com o Visanet, o chamado bônus por volume. O problema é que essa prática é uma banalidade no mercado publicitário, e em 2008

A OUTRA HISTÓRIA DO MENSALÃO

foi regulamentada em lei no Congresso. O que não era proibido nem permitido foi legalizado. Mas ontem, o ministro Ayres Britto, presidente do STF, disse que a aprovação dessa lei foi uma manobra para beneficiar os acusados do mensalão. É muito possível. Mas acho que um ministro do Supremo não deveria fazer uma acusação gravíssima contra uma decisão de outro poder. Ou pode?

© Breno Fontes/CB/D.A Press

Ministro Cezar Peluso durante
julgamento do mensalão, no
Supremo Tribunal Federal - STF

CAPÍTULO 15.
ONDE ESTÁ O DINHEIRO?

17h47, 19/9/2012
Paulo Moreira Leite

Neste momento, o quadro do julgamento do mensalão parece claro. Joaquim Barbosa sustenta aquilo que o Ministério Público define como "organização criminosa" dedicada a "comprar" votos para o governo. Não há apoio político. Não há verba de campanha. Há "propina", diz Joaquim Barbosa.

O voto de Joaquim merece elogios e reconhecimento. É um voto competente, bem articulado e coerente. Não faltam exemplos nem casos. Discordo de seu esforço para criminalizar a atividade política. Fala em "interesse dos corruptores" para definir a ação da bancada do governo no Congresso. Toda partilha de verbas é definida como "vantagem indevida". Esse é o preço que ele paga pelo esforço de despolitizar uma discussão que é política em todos os sentidos.

É preciso admitir que Joaquim Barbosa está inteiramente convencido daquilo que diz. Não faz teatro nem joga. Não quer agradar a mídia — embora, majoritariamente, ela esteja adorando o que ele diz e sustenta. Isso lhe garante um tratamento positivo. Ao contrário do que ocorria em passado recente, quando Joaquim entrou em choque com Gilmar Mendes.

HISTÓRIA AGORA

A julgar pelo que aconteceu até agora, parece claro que, salvo casos menores, os réus mais importantes — como José Dirceu, Delúbio Soares, José Genoino — têm grandes chances de serem condenados a penas severas.

Está tudo resolvido? Não acho.

Até agora, não encontrei uma única notícia do dinheiro que, supostamente, teria sido desviado do Visanet e recolhido pela "organização criminosa".

É frustrante. Como dizia o editor do *Washington Post*, o jornal do Watergate, ao estimular seus repórteres: *"Follow the money"*.

Os petistas dizem que foram recursos para campanha, em especial para as eleições municipais de 2004. As testemunhas ouvidas no inquérito dizem a mesma coisa. A leitura do relatório da Polícia Federal não contém uma palavra sobre isso. Diz textualmente que não se chegou ao destino do dinheiro.

Joaquim diz e repete, ora com ironia, ora com indignação, mas sempre com fatos e argumentos, que não acredita que os recursos se destinavam a campanha eleitoral. Rosa Maria Weber, em seu primeiro voto, declarou que achava essa informação irrelevante.

Acho que o debate é mais importante do que parece. Ele permite demonstrar quem avançou o sinal, quem não fez o combinado pelas regras informais de nosso sistema político. Isso não diz respeito apenas ao julgamento de hoje, mas ao funcionamento da democracia no país. Nossas eleições são limpas há muito tempo, porque são disputadas num ambiente de liberdade, no qual cada eleitor pode fazer sua escolha sem pressões indevidas. Os pleitos expressam a vontade popular, e não vejo nenhum motivo para suspeitar de seus resultados. Não há votos comprados nem fraudados em escala significativa.

Mas, depois de PC Farias, o saudoso tesoureiro de Fernando Collor, sabemos que é preciso ser muito hipócrita para fingir que o financiamento de campanha, de qualquer partido, antes e depois do mensalão, é uma operação limpa. Ali se mistura o caixa dois de empresas, o dinheiro da corrupção e também o dinheiro que, mesmo de origem quente, precisa ser esfriado no meio do caminho.

Se houvesse vontade política para corrigir as imensas imperfeições e desvios, isso já teria sido feito. Mas sempre que surge essa oportunidade, ela é barrada por falta de interesse político. É mais interessante tirar proveito de uma denúncia do que procurar a origem dos erros. O mais recente projeto de reforma eleitoral, elaborado pelo deputado Henrique Fontana, do PT gaúcho, foi sabotado alegremente pela oposição no ano passado. Previa, como sabemos, o financiamento público exclusivo de campanha, que proíbe a ação dos corruptores na distribuição de verbas para os partidos. Não há lei capaz de impedir a prática de crimes. Mas uma boa legislação pode desestimular as más práticas. Pode criar regras realistas, e não um mundo aberto para falcatruas e irregularidades. A mesma oposição que agora pede guilhotina para os petistas é a primeira a manter as regras que alimentam o ambiente de abuso e desvio.

Esse é o jogo do moralismo. Joaquim Barbosa pode não fazer jogo. Mas ele existe e está aí, à frente de todos.

Após sete anos de investigação, não se encontrou um rastro do dinheiro. Você pode achar que os recursos foram lavados e se perderam nos esquemas de doleiros e foram enviados para o exterior. Também pode achar que foram lavados e entregues aos partidos aliados do PT, como disseram os advogados da defesa nas já longínquas manifestações dos primeiros dias. O certo é que a Justiça quebrou o sigilo bancário e fiscal dos acusados e nada encontrou. O rastreamento não levou a nada. Não há sinal de enriquecimento indevido no patrimônio de nenhum dos réus.

Não tenho procuração para atestar a honestidade de ninguém. Mas não é estranho que não apareça um centavo gasto de forma ilícita? Como é que o tesoureiro Delúbio Soares continua morando no mesmo *flat* modesto no centro de São Paulo? Por que José Genoino, combatente brasileiro que sempre merecerá homenagens pela coragem de assumir as próprias ideias, muitas inconvenientes a seus interesses, continua residindo na mesma casa no Butantã, em São Paulo? Apontado como chefe da "organização criminosa", falta explicar o que Dirceu obteve com seus superpoderes de ministro chefe da Casa Civil.

Também falta outra coisa. Marcos Valério cansou de prometer o que não podia entregar. Não foi só o Banco Mercantil. Um assessor dele me garante que Valério prometia até entrar na negociação da licitação da transposição do São Francisco. As obras — que seguem a passo de tartaruga — acabaram com os militares. É certo que oferecer vantagem indevida já é crime. Mas vamos combinar que não é a mesma coisa.

Com seu voto articulado, com exemplos e histórias, Joaquim Barbosa está levando o julgamento. As descrições e diálogos ajudam a dar dramaticidade a seu voto. Mas é uma questão de convicção e convencimento. Pela jurisprudência que parece dominar a maioria do STF, esses elementos parecem suficientes.

Concordo que ninguém chama fotógrafos para receber uma mala de dinheiro. Mas o bom-senso recomenda admitir que a recíproca não pode ser verdadeira. A falta de provas não pode ser desculpa para condenação apressada, e, portanto, errada.

Essa distinção separa a justiça do moralismo, recurso típico daquelas forças que têm dificuldade de conviver com a democracia e procuram atalhos para escapar da soberania popular.

Apontado como mensaleiro porque recebeu um cheque de R$ 100.000 de Marcos Valério para sua campanha, o deputado Roberto Brant, do DEM mineiro, foi absolvido pelo Congresso por uma votação folgada. Não foi indiciado no mensalão, embora até pudesse.

Bom político, lúcido e corajoso, Brant explicou, certa vez, ao jornalista Sergio Lirio, da *Carta Capital* que o moralismo interessa:

"aos grupos que controlam o Estado brasileiro, independentemente de quem esteja no governo. São herdeiros dos privilégios seculares que o Estado distribui. A sociedade brasileira é injusta dessa forma porque o Estado é um agente da injustiça. Esses grupos não querem reforma de coisa nenhuma. O moralismo só interessa aos grupos que querem mobilizar o Estado brasileiro, ou pelo menos o sistema político brasileiro, para não deixar que ele opere com liberdade. Isso já aconteceu outras vezes. Quando Juscelino Kubitschek começou a mudar o Brasil, aquilo assustou tremendamente as elites urbanas. O resultado foi a criação de uma série de escândalos que a história provou ser completamente infundados, inconsistentes e falsos. Todos os personagens morreram pobres. Depois, veio o quê? Jânio Quadros, apoiado pela opinião pública. Opinião construída pelo jornalista Carlos Lacerda, pela UDN nos grandes centros urbanos. Em São Paulo, inclusive. Foi lá que ele venceu. E deu no quê? Desorganização, populismo e aventura. Depois do Jânio, veio o golpe militar. Como tachar de corrupto um partido inteiro, o sistema de forças inteiro? Isso é falso. Há políticos com desvio de conduta no PT, no PFL, no PSDB. A agenda do moralismo não leva a nada. Ou leva a coisas piores."

Dilma Rousseff, presidenta da República, na posse de Joaquim Barbosa como presidente do Supremo Tribunal Federal – STF

CAPÍTULO 16.
AGORA É A CRIMINALIZAÇÃO DE DILMA?

7h54, 24/9/2012
Paulo Moreira Leite

Muitas pessoas ficaram surpresas quando Joaquim Barbosa mencionou Dilma Rousseff no Supremo. Para reforçar a ideia de compra de votos, Joaquim citou um depoimento em que Dilma se confessou surpresa com a rapidez com que o Congresso aprovara o novo marco regulatório de energia elétrica.

A mensagem do voto do ministro, exaustivamente repetida pelas emissoras de TV, tem um elemento malicioso. A "surpresa" de Dilma seria, claro, uma prova do mensalão. O ministro não disse, mas permitiu que todos ouvissem: sem o mensalão, o marco regulatório não teria saído com a rapidez que surpreendeu a ministra/presidenta.

A resposta do Planalto, em nota oficial, foi rápida. Responsável pelas negociações do marco regulatório ocorridas no Senado, Aloizio Mercadante também se manifestou.

O fato é que essa insinuação me parece uma consequência lógica da visão que Joaquim Barbosa está imprimindo ao julgamento. Ele acredita que encontrou crimes até onde não é possível demonstrar que tenham ocorrido.

Falando com franqueza: para entender a "surpresa" revelada pela ministra, não é preciso enxergar tudo com malícia. É preciso considerar o chamado contexto. Pensar em política como o exercício humano e insubstituível de negociar, avançar e ceder.

No início do governo Lula, a oposição tucana fazia o possível para criar problemas para os petistas, em várias áreas. Mesmo na Previdência, onde o PT deu continuidade a uma reforma planejada por FHC, durante certo tempo o PSDB fingia que nada tinha a ver com o assunto. Queria dar o troco para Lula criando dificuldades artificiais, como a antiga oposição lhe fizera. Mostrar boa vontade com iniciativas de Lula, naquele momento, era mostrar-se fraco e adesista diante de seus eleitores. Era quase uma traição perante cidadãos que haviam dado seu voto para candidaturas tucanas só por amor à causa, quando todo mundo sabia que não tinham a menor chance.

O marco de energia era especialmente delicado por uma razão política conhecida. No segundo mandato de FHC, a falta de eletricidade impediu a retomada de crescimento econômico, submetendo os brasileiros a um vexame inesquecível de racionar o uso de energia num país com esse potencial elétrico que todos conhecemos.

A surpresa vem daí. Depois de blefar e ameaçar, os tucanos também concordaram em votar com o governo na sala de Mercadante.

A política é assim. Não é engenharia. Não é equação matemática. Inclui dissimulação, esperteza. Não é contabilidade. Pode incluir a corrupção — como acontece em vários lugares, o que levou a ministra Eliane Calmon, corregedora nacional de Justiça, a querer saber até o que acontecia na Justiça. Mas é preciso apurar, investigar e esclarecer. No caso de crime, apurar, ouvir as partes e acusar. É errado apenas mencionar, não é mesmo?

Respeito Joaquim Barbosa. Conheço seus títulos e sua formação. Acredita no que fala e diz. Mesmo quando discordo, devo admitir

Ministra Eliane Calmon, que apontou denuncias contra o poder judiciário

que está longe de fazer denúncias "mequetrefes", para empregar um termo que se tornou obrigatório no julgamento. Mas acho essa insinuação fora de lugar.

A menção a Dilma foi apenas uma manifestação — um pouco exagerada, digamos — de uma atitude típica de um julgamento que avança numa imensa carga de subjetividade. Várias vezes, Joaquim falou que é preciso examinar o contexto da denúncia, o contexto da ação dos acusados e assim por diante. Mas não considerou o contexto do apagão, esse evento gigantesco, demolidor, humilhante para um país e sua população.

Imagino que, tecnicamente, o nome Dilma era uma menção até desnecessária. Tenho certeza de que num inquérito de 60 mil páginas seria possível encontrar exemplos equivalentes e até mais enfáticos. A diferença é que nem sempre esses casos envolviam uma autoridade que, de ministra, passou a presidenta da República.

Politizando a justiça, pode-se dizer que a citação a Dilma jogou o julgamento para... 2014.

O voto de Joaquim Barbosa, mais uma vez, foi aos telejornais. Foi repetido, reprisado... Sabe o que aconteceu? Salomão Schwartzman, radialista e jornalista muito experiente, já lançou um comentário dizendo que o PSDB deveria convidar Joaquim para disputar a presidência da República.

Tudo é política. Mesmo o que não parece.

Na biografia de José Alencar, Eliane Cantanhêde descreve o encontro entre Lula, seu vice, José Dirceu e Valdemar Costa Neto, em que se debate uma aliança política e a consequente coleta de recursos financeiros. Se fosse hoje, alguém mais afoito diria que estavam combinando um assalto. Mas a descrição desse acordo político de campanha é tão benfeita, tão clara, que os advogados de Delúbio Soares incluíram vários parágrafos sobre o "rachuncho" — a expressão, bem humorada, é de Eliane — nas alegações finais de seu cliente.

Sabemos que a criminalização da política tornou-se parte da estratégia da acusação para condenar o maior número possível de acusados. Vamos combinar que ajuda a sustentar a tese de que não havia recursos para campanha eleitoral — mas compra de votos no Congresso.

Admito que eles simplesmente não conhecem os fatos que estão julgando, não têm familiaridade com o mundo das tratativas e negociações e acham tudo suspeito, estranho...

Considerando a baixa credibilidade dos políticos, apostar que todo mundo é ladrão pode ser uma vulgaridade — mas é uma forma de garantir, com facilidade, apoio popular a medidas que tanto podem ser justas como apenas arbitrárias.

Minha experiência com a humanidade permite dizer que já tive contato com momentos de grandeza, coragem, solidariedade. Também tive a infelicidade de testemunhar imensas baixezas. Mas não me lembro de ter visto relatos — nem em ficção — de repulsa a linchamentos.

Acabo de ler a notícia de que alguns procuradores já estão preocupados com o indulto de Natal dos réus do mensalão. É assim: dando de barato que eles serão condenados, o que parece cada vez mais provável, a preocupação agora é impedir que passem o Natal com a família... Mais um pouco e teremos de acionar a Comissão da Verdade, que investiga crimes cometidos por representantes do Estado contra direitos humanos, para ver o que está acontecendo em nossa democracia...

É justiça, isso? Ou é vingança?

Como já disse aqui, acho que o mensalão produziu delitos de todo tipo. São crimes diferentes, que a legislação trata de forma diferente porque lá atrás aquele personagem oculto e onipresente que os advogados chamam de O Legislador entendeu que era assim.

Ao ignorar as diferenças, quem perde é a democracia.

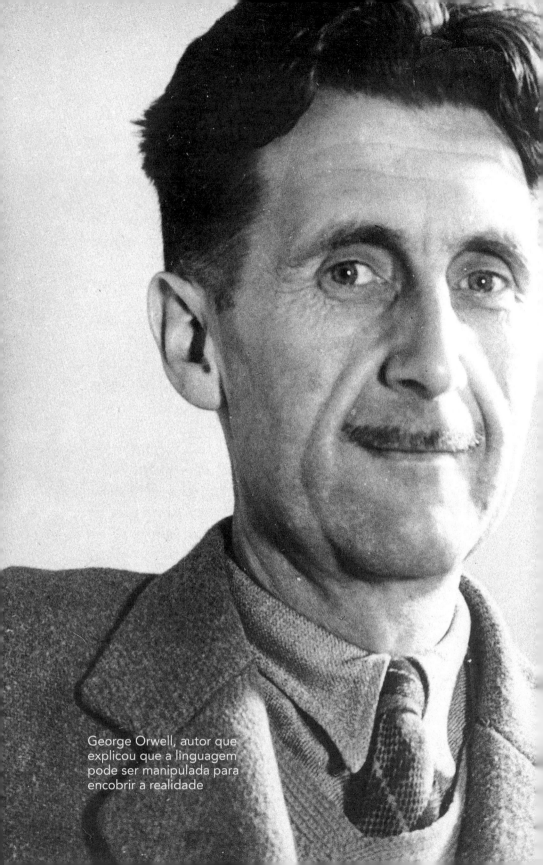

George Orwell, autor que explicou que a linguagem pode ser manipulada para encobrir a realidade

CAPÍTULO 17.
ORWELL E A
"COMPRA DE VOTOS"
NO MENSALÃO

9h39, 2/10/2012
Paulo Moreira Leite

George Orwell ensinou a todos nós que a linguagem pode ser uma arma do conhecimento, mas também pode servir à mentira. Pode encobrir a realidade e também pode desvendá-la.

Vejamos, por exemplo, por onde caminham as conclusões do julgamento do mensalão no STF. Não vou discutir as sentenças proferidas. Quero discutir a interpretação. A principal é dizer o seguinte: está provado que houve compra de votos e que o mensalão não era, portanto, caixa dois de campanha. Parece haver uma relação de causa entre uma coisa e outra.

Essa é a teoria desde a denúncia inicial, em 2006. Mas há um problema elementar nesse raciocínio. Não há nexo obrigatório entre as coisas. Dinheiro de caixa dois é dinheiro não registrado, sem origem declarada. Sua origem pode ser uma atividade criminosa, como tráfico de drogas, ou propina conseguida em negociações escusas com o governo. O dentista que dá desconto no tratamento, mas não dá recibo, inclui-se no mundo imenso do caixa dois. O mesmo acontece com uma empresa legal, que dá emprego a milhares de pessoas, mas não cumpre suas obrigações com o Fisco. Muitas empresas privadas têm um caixa dois especialmente reservado para pagamentos por fora. Isso inclui, como sabemos, as contribuições de campanha.

A CPMI dos Correios demonstrou que grandes empresas privadas deixaram mais de R$ 200 milhões com o esquema de Marcos Valério entre 2000 e 2005. Nenhuma foi levada a julgamento.

Esse dinheiro, muitas vezes, era limpo e declarado. Outras vezes, não. Isso não muda a natureza do problema.

Caixa dois tem a ver com a origem. Não explica a finalidade do pagamento. Quem fala em "compra de consciências" está falando em finalidade. Embora alguns ministros tenham tido que isso era irrelevante, acho que tem importância, sim. Está lá, na denúncia. Por que não tem importância?

É um ponto central do problema quando se recorda nossa legislação eleitoral, tão favorável ao poder econômico privado.

Muito antes de Orwell denunciar o stalinismo, grande assunto de toda sua obra, adivinhar o que anda pela "consciência" dos homens intriga os filósofos e os políticos. No auge do obscurantismo católico, até as fogueiras da Inquisição ardiam para que os infiéis confessassem os pecados que lhes eram atribuídos — e não reconheciam como tais. Não comparo o julgamento à Inquisição. Mas aquela experiência terrível — e tantas outras — mostra que a consciência humana é matéria muito delicada.

Às vezes, tenho a impressão de que provas parecem não importar muito nos dias de hoje. Mas acho que falar em "compra de votos" implica provar que a pessoa tinha uma convicção e mudou de ideia porque recebeu dinheiro no bolso.

Sei que isso pode acontecer. Quantos exemplos de carreirismo encontramos no cara que mente para subir na empresa, no puxa-saco que sorri o tempo inteiro para ter aumento e assim por diante? Seria bobo pensar que não há pessoas assim na política. O inquérito mostrou até que o dinheiro do mensalão foi usado para pagar indenização à namorada de um político falecido. Tenho certeza de que muitos políticos fizeram desvios — quem sabe muito piores do que esse.

Quem olhar as votações ocorridas no período 2003 e 2004 em que teria ocorrido a "compra de votos", ficará espantado com uma coisa. Os calendários dos pagamentos não são conclusivos. Aquilo que o Ministério Público alega com seu levantamento a defesa desmente com outro. Na melhor das hipóteses, é um empate de provas. Mas há um elemento maior e mais decisivo. É a política.

Naquele momento, o governo Lula tinha aliados à direita e fazia uma política que, sob esse critério, também estava à direita. A esquerda do PT e mesmo fora dele não cansava de denunciar o que ocorria. O PSOL preparava seu racha, e, dentro do governo, personalidades de pensamento semelhante começavam a esvaziar gavetas.

O Planalto cumpria parte da agenda do PSDB, do PP, do PTB e assim por diante.

O governo pagava direitinho as contas de um empréstimo no FMI e governava com os juros no céu. Achava que esse era um pacto necessário para assegurar as condições mínimas de governar, após o ambiente de colapso e pânico que o país atravessara em 2002. Banqueiros internacionais elogiavam a política econômica.

Você acha que o Roberto Jefferson precisava de R$ 4 milhões no bolso para votar a favor de mudanças na Previdência? Ou o PL? Ou o PP?

Eu acho que não. Eles dizem que não. Eles haviam embarcado no projeto Lula, como o PL fizera antes, ao garantir até a cadeira de vice-presidente. Falaram isso ao serem ouvidos na Polícia Federal. Falaram que usariam o dinheiro para a atividade mais importante de todo político: preparar a próxima campanha e pagar as contas anteriores.

E se você acha que isso é feio, subdesenvolvido, cínico, saiba que está enganado. Até na Alemanha esses acordos são feitos. Os verdes

Angela Merkel montou sua base com apoio dos Verdes, aliado histórico da social-democracia alemã

deixaram a ultraesquerda para assumir um governismo perpétuo. Hoje se aliaram ao governo de Angela Merkel, que comanda a reação europeia contra o estado de bem-estar social. Democratas de centro e republicanos idem, adoram trocar postos no primeiro escalão de presidentes do lado oposto, nos Estados Unidos.

Se você olhar os petistas que receberam dinheiro do esquema, vai reparar que pertenciam ao campo majoritário, que sustentava a política do governo, mesmo a contragosto às vezes. (Toda luta política depois do jardim de infância inclui momentos de contragosto, certo?)

Isso acontecia porque o financiamento de Marcos Valério e Delúbio Soares não se destinava a alimentar uma "organização criminosa", como os bandidos que roubam automóveis ou assaltam residências.

Não há como justificar nenhum desvio, roubo ou coisa parecida. Há crimes que devem ser punidos. Mas não é preciso aplicar a tecnologia tão bem explicada por Orwell para acreditar que a mentira virou verdade. A menos, claro, que você pretenda tratar a política como crime. A vantagem de quem faz isso é atingir objetivos políticos enquanto se esconde atrás da ética. A desvantagem para os outros é fazer papel de bobo.

Por mais que você goste de comparar a política brasileira a uma quitanda de bairro, não se iluda. Todos os partidos têm seus compromissos, prioridades e assim por diante. Caso contrário, não sobrevivem.

O PP, o PL e outros se aliaram ao governo Lula depois da Carta ao Povo Brasileiro, que levou muitos petistas para debaixo do tapete, não é mesmo?

Os partidos podem ser, e são, muito parecidos pelos escândalos (O mais divertido dessa discussão é o "escandalômetro". Dados do TSE mostram que em 2012 o PSDB tornou-se o campeão nacional de fichas sujas, enquanto PMDB, DEM, PP vêm depois. O PT fica em oitavo lugar, o que é lamentável, mas não parece compatível com a fama atual, quem sabe mais um efeito George Orwell — ou seria melhor falar em Goebbels?).

Mas o esquema tinha um fundo político, alimentava a política e era alimentado por ela.

É difícil negar que ao longo do tempo governos de partidos diferentes produzem resultados diferentes, como as pesquisas de distribuição de renda, desemprego e redução da miséria não se cansam de demonstrar. (Não vamos nos estender muito sobre isso, é claro...)

Essas políticas se mostraram tão diferentes, que hoje em dia os mais pobres costumam votar de um jeito e os mais ricos, de outro.

Veja que aí também há quem fale em "compra de votos", que seria a versão popular da compra de "consciências". É o mesmo raciocínio. No Congresso, a compra de "consciência". No povão, a compra de votos. Num caso, o "mensalão". Em outro, o Bolsa Família, as políticas de estímulo ao crescimento para impedir a queda no emprego, o salário mínimo...

Deixando de lado, claro, a troca de voto por dentadura e por um par de sapatos, que é expressão da miséria política em sua face mais degradante, acho que é preciso prestar atenção nessa visão. É uma espécie de racismo social. Explico. Ninguém fala em compra de votos quando um governo conservador dá um pontapé nos juros, enriquece a clientela do mercado financeiro — que fará o possível para assegurar a manutenção dessa política no pleito seguinte. Vozes graves e olhares sisudos chegam a elogiar o massacre social a que estamos assistindo na Europa, hoje em dia — da mesma forma que apoiaram a sangria dos países do Terceiro Mundo décadas atrás. Considera-se que essa é uma visão legítima no debate econômico. Se um político social-democrata apoia essa medida, demonstra maturidade, espírito cívico. Mas quando um governo procura beneficiar os interesses dos pobres e indefesos, está fazendo compra de votos. Se um político conservador resolve apostar seu futuro nessa alternativa, só pode ser em troca de $$$. Curioso, não?

A OUTRA HISTÓRIA DO MENSALÃO

E é mais curioso ainda quando alguém tem o mau gosto de lembrar que outro escândalo, igualzinho e mais antigo, foi convenientemente retirado das manchetes e da televisão. Estou falando, claro, do mensalão tucano, que, em nova homenagem a Orwell, é chamado de "mineiro", o que é uma ofensa a um estado inteiro. O mensalão, vá lá, PSDB-MG, ficou para as calendas, embora seja quatro anos mais antigo.

Considerando as eleições para prefeito neste domingo, e as sentenças que nos aguardam, é impossível deixar de reparar na coincidência e deixar de perguntar: quem está "comprando consciências"?

Genoino preso no Araguaia, em 1972

CAPÍTULO 18.
O LUGAR DE GENOINO

13h59, 5/10/2012
Paulo Moreira Leite

Nossos crocodilos ficaram sentimentais. Em toda parte vejo lágrimas que acompanham os votos que condenam José Genoino.

Na imprensa, em conversas com amigos, ouço o comentário, em tom de solidariedade. Parece consciência pesada, em alguns casos. Não estamos diante de um melodrama, mas de uma tragédia.

Genoino está sendo condenado num julgamento marcado por incongruências, denúncias incompletas e presunções de culpa que começam a incomodar estudiosos e acadêmicos. Foi isso que explicou Margarida Lacombe, professora de direito da UFRJ, em comentário no Globo News. Sem perder suavidade na voz, a professora falou sobre necessidade de provas contundentes quando se pretende privar de liberdade uma pessoa. Não falou de casos concretos, não criticou. Fez o melhor: informou. Lembrou como esse ponto — a liberdade — é importante.

Vamos começar.

O STF que está condenando Genoino e absolveu Fernando Collor com o argumento de "falta de provas". É o mesmo STF que, em tempos muito mais recentes, impediu que o país apurasse, investigasse e punisse a tortura ocorrida no regime militar.

Então, ficamos assim. José Genoino, vítima da tortura que o STF impediu que fosse apurada, será condenado por corrupção,

HISTÓRIA AGORA

ao contrário de Fernando Collor. Parece o "Samba do crioulo doido" de Stanislaw Ponte Preta. É. Mas não é o texto. É a "realidade brasileira", como se dizia no tempo em que a polícia política perseguia militantes como Genoino.

Não há provas materiais contra Genoino, e tudo que se pode alegar contra ele é menos consistente do que se poderia alegar contra Collor. Mas as provas da tortura são abundantes. Estão nos arquivos do Brasil Nunca Mais e em outros trabalhos. Foram arrancadas na dor, no sofrimento, na porrada, no sangue e, algumas vezes, na morte. Em plena ditadura, 1.918 vítimas da tortura deixaram registros dessa violência nos arquivos da Justiça militar. Nenhuma foi apurada e, se depender da decisão do STF, nunca será.

Collor foi beneficiado porque provas muito contundentes contra ele foram anuladas. Considerou-se, na época, que a privacidade do tesoureiro PC Farias havia sido violada quando a Polícia Federal quebrou o sigilo de um computador que servia ao esquema. Essa decisão — em nome da privacidade — salvou Collor.

Você pode dizer que os tempos eram outros e que agora não se aceita mais tanta impunidade. Aceita-se. Basta lembrar que, na mesma época, o mensalão do PSDB-MG virou fumaça na Justiça comum. E quando Márcio Thomaz Bastos tentou mudar o julgamento do mensalão federal, alegou-se que era no STF que os crimes graves são punidos. Ficou uma pista para nos ensinar o que aconteceria num caso e no outro.

Vamos continuar.

Genoino está sendo condenado porque "não é plausível" que não soubesse do esquema. "Plausível", informa o Houaiss, é sinônimo de aceitável, razoável. Veja só o tamanho da subjetividade, da incerteza.

Isso porque ele assinou o pedido de empréstimo de R$ 3,5 milhões para o Banco Rural e por dez vezes refez o pedido. Não é plausível imaginar que um presidente do PT fizesse tudo isso sem saber de nada, acreditam ministros do Supremo, convecidos de que "tudo" prova a compra de votos. Mas fatos que são líquidos e certos não comoveram a acusação com a mesma clareza.

O esquema privado do mensalão, informa a CPMI, chegou a R$ 200 milhões. Quantos empresários foram lá no julgamento dar explicações? Nenhum. Alguém acha plausível, aceitável, razoável, que fossem inocentados por antecipação? Não há nada "plausível" que se possa fazer com R$ 200 milhões?

Diz a CPMI: só a Telemig entregou mais dinheiro às agências de Valério que o Visanet, que jogou o petista Henrique Pizzolato na vala dos condenados logo nos primeiros dias.

O que é plausível, nesse caso?

Nós sabemos — e ninguém duvida disso — que Genoino fazia política o tempo inteiro. Fez isso a vida toda, com tamanha inquietação, que numa fase andou pela guerrilha do Araguaia, e, em outra, ficou tão moderado, que parecia que ia preencher ficha de ingresso no PSDB. Chegou a liderar um partido revolucionário à esquerda do PC do B e depois integrou as correntes mais à direita do PT.

Então, vamos lá. É plausível imaginar que Genoino tenha ido atrás de recursos de campanha? Sim. É plausível e até natural. Basta deixar de ser hipócrita para compreender. Política se faz com quadros, imprensa, propaganda, funcionários. Isso custa dinheiro. Isso fez dele um dirigente que subornava adversários para convencê-los a mudar de lado, como quer a acusação? Não.

Não acho plausível, nem aceitável, e nem razoável. Duvido inteiramente, aliás. E se eu estiver errado, quero que me provem — de forma clara, contundente. Sem essas suposições, sem um quebra-cabeça que joga com a liberdade humana. Sem fogueira de tantas vaidades.

Não chore por nós, Genoino.

Alegou-se que a tortura não poderia ser apurada para preservar a transição democrática. A democracia avançou, as conquistas foram imensas. Mas os perseguidos, no fundo, bem no fundo, são os mesmos.

Não é um melodrama. É uma tragédia.

A guilhotina da Revolução Francesa

CAPÍTULO 19.

STF E O THERMIDOR DE LULA

9h27, 4/10/2012
Paulo Moreira Leite

Não, eu também não li todo o processo do mensalão. Mas o que li me deixou satisfeito ao ver o voto de Ricardo Lewandowski. Ele enfrentou as complicações, incongruências e fraquezas de um processo que é menos claro, mais contraditório do que parece. A colocação de Lewandowski ajudou a lembrar o mais importante. Revelou que está em curso um processo perigoso de criminalização da política brasileira, e que o risco é se falar em voltar ao "como era antes". Antes, claro, é o tempo em que não havia eleição, o regime militar.

Após anos de transformações e progressos, pequenos demais do ponto de vista da história e do país real, mas bem razoáveis do ponto de vista do que se fizera nas décadas recentes, a política brasileira pode evoluir para seu Thermidor.

Explico. Thermidor foi aquele período conservador da Revolução Francesa, quando os ricos recuperaram privilégios, a democracia foi enfraquecida e, pouco a pouco, o poder político transformou-se numa ditadura. No fim, restaurou-se o império. A aristocracia recuperou direitos e conseguiu impedir o avanço das mudanças, ao se reconciliar com a burguesia contra o povo. As eleições se tornaram duas vezes indiretas. Os candidatos passavam por uma assembleia e depois eram referendados por uma segunda. O direito de voto retornou aos muito ricos.

No caminho de Thermidor encontrou-se Robespierre e o terror. Foi uma fase de tal violência política, que fez a França de 1792-1794 ficar parecida com o Camboja após a vitória de Pol Pot, quase 200 anos depois.

A taxa demográfica do país que havia criado o Iluminismo e os direitos do homem chegou a ficar negativa por causa de execuções e mortes sumárias, todas por motivação política, sem direito a um julgamento. E tudo isso em nome do... combate à corrupção.

Foi um período tão terrível, que ali se empregou, talvez pela primeira vez, a noção de que em política existe o mal necessário. Muitos de nós aprendemos a procurar aspectos positivos na figura de Robespierre, o Incorruptível, por causa dessa visão.

O terror foi recuperado mais de um século depois, quando ninguém estava vivo para contar a história. Muitos pensadores passaram a acreditar — às vezes sinceramente — que toda mudança profunda passa pela existência de uma ditadura, de um período de violências brutais e incontroláveis, que seriam inevitáveis para limpar os desmandos e abusos incuráveis de uma época histórica anterior. Essa noção alimentou a velha ditadura do proletariado que seria desenvolvida por Lênin e consumada, em seus aspectos mais horripilantes, por Stálin. Mas também teve, ao longo do tempo, vários adeptos de outra origem.

A experiência mostrou que essa visão estava errada. Confirmou, primeiro, que a democracia é superior aos outros regimes. Segundo, que a maioria da população é a maior interessada nos regimes democráticos, pois é por meio desse regime que pode fazer valer seus direitos e exercer um dos essenciais, que é a liberdade.

Apoiado até o fim da vida pela madrinha neoliberal Margareth Thatcher, o golpe de Augusto Pinochet no Chile era isso, diziam seus aliados de 1971 — uma cirurgia, um mal destinado a durar pouco.

O golpe de 64, no Brasil, prometia defender a democracia e dizia querer impedir uma "república sindicalista", acusação que tem lá seu parentesco com algumas denúncias que de vez em quando foram jogadas contra o governo Lula. Durou vinte anos, mas nasceu como um curtíssimo mal necessário para acabar com a corrupção e a subversão — valores que, com todas as adaptações e atualizações necessárias, também retratam o inferno de quem avança o Thermidor em 2012.

O horizonte do processo em curso, nós sabemos, é 2014. Não é conspiração, embora não faltem pretendentes. Muitos personagens se repetem, outros são novos. Nem tudo depende da vontade das pessoas. É um curso histórico, uma correnteza. Resta saber até onde irá.

As denúncias de corrupção não são uma campanha golpista. Pelo amor de Deus! Há que se criminalizar o crime, como lembrou alguém. Os culpados devem ser apontados, denunciados e punidos. Os espertalhões desmoralizam a política, envergonham. Seu papel é alugar o Estado a quem paga mais.

Mas não vale forçar a barra — que é o caminho do mal necessário. Não vale fingir, por exemplo, que somos impolutos, corajosos, incorruptíveis, depois de liberar o mensalão do PSDB-MG para a justiça comum. Não vale fingir que o encontro do calendário do mensalão e da eleição é simples coincidência — se fosse, poderia ter sido evitada —, ou, o que me parece espantoso, achar muito bom que essa coincidência tenha ocorrido.

Não vale desconsiderar, a essa altura do campeonato, que Roberto Jefferson falou tudo e um pouco mais, a favor e contra. Chegou a dizer que o mensalão não existia. E também disse o contrário. Está no direito dele, que fez o possível para se defender. Só não precisamos achar que tudo que ele diz é verdade. Mesmo a palavra "delator" dá a Jefferson uma verossimilhança exagerada. Pressupõe uma coerência que ele não tem.

Também não vale dizer que o destino do dinheiro é irrelevante e passar o julgamento inteiro dizendo que foi "compra de votos" e mesmo "suborno". Se não tem importância, por que é preciso insistir nisso? O centro da denúncia reside nisso: "compra de votos".

Seria mais fácil admitir que não sabemos como o dinheiro foi empregado e que, muito possivelmente, a maior parte foi gasta no pagamento de verbas de campanha, por mais que seja chato admitir isso.

Pois é: num caso de quarenta corruptos, que tanta gente comparou a Ali Babá, e muita gente disse na época que eram quarenta exatamente para facilitar a comparação, não aparece nenhum "político" que tenha ficado rico. Ninguém. Nenhuma quebra de sigilo indicou qualquer coisa anormal.

Podemos até imaginar que o esquema — com falhas risíveis de logística que fizeram até que a polícia parasse um emissário de Valério porque suspeitava do carregamento exagerado de dinheiro em sacos de papel — fosse tão perfeito que cada centavo maquiavelicamente desviado hoje faça companhia aos dólares de tantos bacanas na Suíça, no Caribe e outros paraísos fiscais.

Até o cara que quer ganhar o Loas (de Lei Orgânica de Assistência Social) para matar a fome e foi absolvido por não ter dinheiro para advogado deve ter sua graninha em Genebra, certo? Mas estamos supondo.

Sabe por que isso seria importante? Porque daria clareza à discussão, permitiria entender os problemas. Daria racionalidade. Evitaria o ambiente de intimidação, denunciado por Janio de Freitas.

O esforço para deixar o dinheiro longe das campanhas e perto da "compra de votos" no Congresso já envolve afirmações dispensáveis. Já se disse, por exemplo, que o fato de muitas despesas terem sido feitas em 2003, ano sem eleições, prova que seu destino não era eleitoral. É supor na direção errada.

Basta ler a denúncia de Antônio Fernando de Souza, que falava, em toda sua fúria, em "dívidas pretéritas". Embora falasse em "compra de votos", também admitia que uma parcela fora gasta em despesas de campanha. Não era assim categórico, absoluto.

É difícil negar que estamos no mundo da política. Eleição é aposta, e quem aposta deixa dívidas.

Também acho que não vale dizer que o importante é o contexto e depois render-se a uma assinatura. Porque a assinatura de um empréstimo — modestíssimo — de R$ 3 milhões é o argumento principal para condenar José Genoino por sei lá quantos crimes. Não custa reparar: considerando o montante do mensalão, há o risco de o empréstimo de Genoino ser o único dinheiro limpo e honesto da história.

Porque seu contexto é o da política, lembra Lewandowski. Presidente do PT, Genoino faz reuniões, articula, discute. "Não sabe o que é dinheiro", diz Valdemar Costa Neto, que sabe.

Mas não. No Thermidor 2012, é preciso criminalizar a política. Não é de todo absurdo. Sabe por quê? Porque do ponto de vista histórico, a política democrática do Brasil já nasceu na porta do crime, na porta da cadeia. Apesar das proclamações em dias de festa, cedo ou tarde é preciso dar um jeito de colocar os "políticos" (entre aspas) naquele lugar de onde nunca deveriam ter saído. Porque toda vez que os "políticos" ficam soltos, começam a querer ganhar votos, a fazer demagogia. Mostram desvios populistas, questionam as coisas e logo viram subversivos, não é mesmo? Veja só: até os danados do PP deixaram a aliança com o PSDB e foram apoiar propostas do governo Lula, como a reforma da Previdência, a tributária...

Há, no fundo, uma visão autoritária na ideia de "compra de votos". Você seleciona aquilo que os políticos podem fazer e o que não podem. Traça um limite — que você define qual é — para os acordos políticos. Quem passou o limite "vendeu" consciência. Desculpe a palavra, mas isso é barbárie. Quem controla o partido é o eleitor.

Imagino uma tabela: o pessoal do PSDB — que teve um namorico no início do governo Lula — pode pegar na mão da noiva. A turma do PTB, como disse Jefferson, entra pela porta dos fundos, porque ali a barra é mais pesada. Já o PP vai para o banco de trás do carro.

Não custa lembrar: com toda aquela campanha antidemocrática do pré-golpe de 1964, o povo queria as reformas de base. Dizia isso no Ibope e onde mais lhe perguntavam. Sem o golpe, Juscelino entraria em 1965 como favoritíssimo... E com JK, claro, viria o populismo, o inflacionismo gastador, e assim por diante. Na primeira eleição depois do golpe, o governo militar sofreu derrotas tão feias, que cancelou pleitos diretos para governador. Depois, para prefeitos de capital. Também resolveu impedir o Congresso de mexer no orçamento. Dizia que os "políticos" gostavam de fazer fonte em pracinha e não tinham noção dos graves problemas da pátria.

Apesar da orientação claramente adversa da maioria dos meios de comunicação em 2002, 2006 e 2010, os adversários de Lula não conseguiram competir de verdade. Nenhuma vez.

E as pesquisas eleitorais de 2014? Nem é bom falar.

Mas há o Thermidor.

A corrupção pode ser usada como arma política. Desde que a denúncia seja aplicada seletivamente.

Vamos fazer um pouco de sociologia.

Sem o menor interesse em permitir e muito menos estimular a politização e organização das "classes subalternas", como dizem os sociólogos, sempre se sonegou aos partidos políticos os meios necessários para pagar as contas, organizar e formar seus quadros, manter locais públicos para reuniões, financiar sua imprensa e assim por diante. Esses meios deveriam vir do Estado, obviamente, como em tantos países civilizados. (Menos, obviamente, nos Estados Unidos, onde a privatização da política atingiu o nível desfuncional, a quem se diz seriamente que Obama é comunista. A Suprema Corte empossou um presidente acusado de fraudar eleições na Flórida, em 2000, e agora o *Tea Party* disputa a Casa Branca. Com chances e milhões de dólares.)

No Brasil, onde até 2003 a distribuição de riqueza permitia a 1% da população embolsar uma fatia da renda superior aos 50% mais pobres — não é imagem, são dados do Dieese — nossa lei eleitoral já nasceu para criminalizar quem não era amigo do patamar de cima. Uma lei que só autoriza doações de indivíduos e empresas privadas contém uma orientação social — portanto, política — tão descarada e absurda, que recentemente os partidos tiveram o bom-senso de garantir acesso a certa quantia nos cofres públicos, proporcional a seu peso eleitoral.

A OUTRA HISTÓRIA DO MENSALÃO

Mas o principal seguiu como antes: é o poder econômico privado que domina as campanhas eleitorais. E aí chegamos ao mensalão, a 2002 e 2003. (E 2004. Veja só, mais um quatro...) E é porque aluga o poder do Estado, quer licitações amigas, que o poder privado mantém a lei como está e diz que toda mudança é uma forma de populismo-estatizante. Mantém-se, assim, um universo de sombra, uma zona de gatos pardos, favorável a se fazer qualquer coisa — como em todo lugar onde o jogo não é claro e a prestação de contas é uma fantasia.

O problema é que os donos das campanhas eleitorais fizeram a aposta errada em 2002. Apostaram em todos os cavalos na esperança de derrotar a grande barbada, que era Lula. Até especuladores internacionais saíram a campo para bater forte em Lula.

Justamente o partido vencedor chegou ao fim da campanha de cofres vazios.

Não vamos ser totalmente ingênuos. Sempre ocorrem desvios, e é possível que tenham se repetido com os petistas em 2002. Vamos dar de barato que isso aconteceu, o que não muda a realidade. A contabilidade do partido estava à míngua no segundo turno e no início do governo. E era preciso arrumar dinheiro. Foi isso que abriu o caminho para Marcos Valério, o ex-futuro bilionário de Curvelo, cidade tão querida por minha família também. Claro que alguns colunistas podem desejar um personagem mais bem-apessoado, digamos assim. Faltava ao aventureiro tucano-petista o lastro político, a cultura e tradição militante de outros tesoureiros tão bem-sucedidos em suas operações...

Mas, como se aprende na faculdade e também em conversas de botequim, em algum lugar os vínculos do PT com suas raízes populares tinham de aparecer, certo? Ao contrário de outros personagens do submundo do alto mundo, Valério tinha toda pinta de arrivista, de novo-rico, e isso é imperdoável num país em que muitos procuram um sobrenome para entrar no clube. Quem sabe nas próximas gerações, se for possível passar por Thermidor e recrutar tesoureiro petista em Harvard...

É fácil enxergar o contexto, concorda?

Antonio Guilherme Ribeiro Ribas (Ferreira), à esquerda, e Zé Dirceu, presos em Ibiúna, SP, no congresso da União Nacional dos Estudantes (UNE), 1968. Ribas morreu no Araguaia. José Dirceu tornou-se chefe da Casa Civil da República em 2003

CAPÍTULO 20
SEM DOMÍNIO
SEM FATOS

20h55, 10/10/2012
Paulo Moreira Leite

Talvez seja a idade, quem sabe as lembranças ainda vivas de quem atravessou a adolescência e o início da idade adulta em plena ditadura. Mas não consigo conviver com a ideia de que cidadãos como José Genoino e José Dirceu possam ser condenados por corrupção ativa sem que sejam oferecidas provas consistentes e claras. A justiça é um direito de todos. Mas não estamos falando de personagens banais.

Sei que os mandantes de atos considerados criminosos não assinam papéis, não falam ao telefone nem deixam impressão digital. Isso não me leva a acreditar que toda pessoa que não assina papel, não fala ao telefone nem deixa impressão digital seja chefe de uma quadrilha.

Sei que existe a teoria do domínio do fato. Mas ela não é assim, um absoluto. Tanto que, recentemente, o célebre Taradão, apontado, por essa visão, como mandante do assassinato de irmã Dorothy, conseguiu sentença para sair da prisão.

Não estamos no universo do crime comum. Estamos no mundo cinzento da política brasileira, como disse o professor José Arthur

Giannotti, pensador do país e, para efeitos de raciocínio, tucano dos tempos em que a geração dele e de Fernando Henrique lia *O Capital*.

O país político funciona nesse universo cinzento para todos os partidos. Acho, de saída, que é inacreditável que dois esquemas tão parecidos, que movimentaram quantias igualmente espantosas, tenham recebido tratamentos diferentes — no mesmo tempo e lugar.

O mensalão do PSDB-MG escapou pela porta dos fundos. Ninguém sabe quando será julgado, ninguém saberá quando algum nome mais importante for absolvido em instâncias inferiores, ninguém terá ideia do destino de todos. Bobagem ficar de plantão à espera do resultado final. Esse barco não vai chegar.

O caminho foi diferente, a defesa terá mais chances e oportunidades. Não dá para corrigir. O PSDB-MG passará, no mínimo, por duas instâncias. Quem sabe, algum condenado ainda poderá bater às portas do STF — daqui a alguns anos. Bons advogados conseguem tanta coisa, nós sabemos.

Não há reparação possível. São rios que seguiram cursos diferentes, para nunca mais se encontrar.

Partindo desse julgamento desigual, fico espantado por Dirceu ter sido condenado quando os dois principais casos concretos — ou provas — contra ele se mostraram muito fracos.

Ponto alto da denúncia de Roberto Jefferson contra Dirceu, a acusação de que Marcos Valério fez uma viagem a Portugal para arrumar dinheiro para o PTB e o PT se mostrou uma história errada. Lobista de múltiplas atividades, Valério viajou a serviço de outro cliente. Ricardo Lewandowski explicou isso e não foi contestado.

Outra grande acusação, destinada a sustentar que Dirceu operava o esquema como se fosse o dono de uma rede de fantoches, revelou-se muito mais complicada do que parecia. Estou falando da denúncia de que, num jantar em Belo Horizonte, Dirceu teria se aliado a Katia Rebelo, dona do Banco Rural, para lhe dar a "vantagem indevida" pelos serviços prestados no mensalão.

A OUTRA HISTÓRIA DO MENSALÃO

A tese é que Dirceu entrou em ação para ajudar a banqueira a ganhar uma bolada — no início, falava-se em bilhões — com o levantamento da intervenção do Banco Central no Banco Mercantil de Pernambuco. O primeiro problema é que nenhuma testemunha presente ao encontro diz que eles tocaram no assunto.

Mas é claro que você não precisa acreditar nisso. Pode achar que eles combinaram tudo para mentir juntos. Por que não?

Mas a sequência da história não ajuda. Valério foi dezessete vezes ao BC e ouviu dezessete recusas. A intervenção no Banco Mercantil só foi levantada dez anos depois, quando todos estavam longe do governo. Rendeu uma ninharia em comparação com o que foi anunciado.

De duas, uma: ou a denúncia de que Dirceu trabalhava para ajudar o Banco Rural a recuperar o Mercantil era falsa, ou a denúncia é verdadeira e ele não tinha o controle total sobre as coisas.

Ou não havia domínio. Ou não havia fato.

Onde estão os superpoderes de Dirceu?

Estão na "conversa", dizem. Estão no "eu sabia", no "só pode ser", no "não é crível", e assim por diante. Dirceu conversava e encontrava todo mundo, asseguram os juízes. Mas como seria possível coordenar um governo sem falar nem conversar? Sem sentar-se com cada um daqueles personagens, articular, sugerir, dirigir. Conversar seria prova de alguma coisa?

Posso até imaginar coisas. Posso "ter certeza". Posso até rir de quem sustenta o contrário e achar que está zombando de minha inteligência.

Mas, para condenar, diz a professora Margarida Lacombe, no Globo News, é preciso de provas robustas, consistentes. Ainda vivemos no tempo em que a acusação deve apresentar provas de culpa.

Estamos privando a liberdade das pessoas, seu direito de andar na rua, ver os amigos, e, acima de tudo, dizer o que pensam e lutar pelas próprias ideias. Estamos sob um regime democrático, no qual a liberdade — convém não esquecer — é um valor supremo. Podemos dispor dela, assim, com base no razoável?

Genoino também foi condenado pelo que não é crível, pelo não pode ser, pelo nós não somos bobos. Ainda ouviu uma espécie de sermão. Disseram que foi um grande cara na luta contra a ditadura, mas agora teve um problema no meio da estrada, um desvio, logo isso passa.

Julgaram a pessoa, seu comportamento. E ele ouviu a sentença: seu caráter apresentou falhas.

Na falta de provas, as garantias individuais, a presunção da inocência, foram diminuídas em favor da teoria que permite condenar com base no que é "plausível", no que é "crível" e outras palavras carregadas de subjetividade.

Já perdemos a conta de casos arquivados no Supremo por falta de provas, ou por violação de direitos individuais, ou seja lá o que for, numa sequência de impunidades que — involuntariamente — ajudou a formar o clima do "vai ou racha" que levou muitos cidadãos honestos e indignados a aprovar o que se passou no julgamento, de olhos fechados.

Juízes do STF emparedaram o governo Lula, ainda no exercício do cargo, em virtude de uma denúncia — que jamais foi demonstrada — de que um de seus ministros fora grampeado em conversa com o notável senador Demóstenes Torres, aquele campeão da moralidade que tinha o celular do bicheiro, presentes do bicheiro, avião do bicheiro... o mesmo bicheiro que ajudou a fazer várias denúncias contra o governo Lula, inclusive o vídeo dos Correios que é visto como o começo do mensalão.

Prova de humildade: os ministros do STF também podem se enganar. Apontado como suspeito pelo caso, o delegado Paulo Lacerda perdeu o posto. Dois anos depois, a Polícia Federal divulgou que, conforme seu inquérito, não havia grampo algum. Nada.

A condenação de José Genoino e José Dirceu sustenta-se, na verdade, no julgamento de caráter dos envolvidos. Achamos que eles erraram. Não há fatos, não há provas. Mas cometeram "desvios".

Aí, nesse terreno de alta subjetividade é que a condenação passa a fazer sentido. Os poucos fatos se juntam a uma concepção anterior e formam uma culpa. A base deste raciocínio é a visão criminalizada de determinada política e determinados políticos.

(Sim. De uma vez por todas: não são todos os políticos. O mensalão do PSDB-MG lembra, mais uma vez, que se fez uma distinção entre uns e outros.)

Os ministros se convenceram de que "sabem" que o governo "comprava apoio" no Congresso. Não contestam sequer a visão do Procurador-Geral, que chega a falar em sistema de "suborno", palavra tão forte, tão crua, que se evita empregar por revelar o absurdo de toda teoria.

Suborno, mesmo, sabemos de poucos e não envolvem o mensalão. Foram cometidos em 1998, na compra de votos para a reeleição. Mas pode ter havido, sim, casos de suborno. Mas é preciso demonstrar, mesmo que não seja necessária uma conversa grampeada, como o repórter Fernando Rodrigues revelou em 1998.

Nessa visão, confundem-se compensações naturais da política universal com atitudes criminosas, com crimes comuns. Quer-se ensinar aos políticos como fazer política — adequadamente.

Chega-se ao absurdo. Deputados do PT, que nada fariam para prejudicar um governo que só conseguiu chegar ao Planalto na quarta tentativa, são acusados de vender seu apoio em troca de dinheiro. Não há debate, não há convencimento, não há avaliação de conjuntura. Não há política. Não há democracia — na qual as pessoas fazem alianças, mudam de ideia, modificam prioridades. Como se certas decisões de governo, como a reforma da Previdência, não pudessem ser modificadas, por motivos corretos ou errados, em nome do esforço para atravessar aquele ano terrível de 2003, sem crescimento, desemprego alto, pressão de todo lado.

A fórmula "tudo por dinheiro" é nome de programa de TV, não de partido político.

Imagino se, por hipótese, a Carta ao Povo Brasileiro, que contrariou todos os programas que o PT já possuiu desde o encontro de fundação, no Colégio Sion, tivesse de ser aprovada pelo Congresso.

Tenho outra dúvida. Se esse é um esquema criminoso, sem relação com a política, alguém poderia nos apresentar — entre os deputados, senadores, assessores incriminados — um caso de enriquecimento? Pelo menos um, por favor.

Dinheiro da política vai para a eleição, para a campanha, para pagar dívidas. Coisas, aliás, que a denúncia de Antônio Fernando de Souza, o primeiro procurador do caso, reconhece.

Não há esse caso. Nenhum político ficou rico com o mensalão. Se ficou, o que é possível, não se provou. Claro que o Delúbio, deslumbrado, fumava charutos cubanos. Claro que Silvinho Pereira ganhou um Land Rover. A ex-mulher de Zé Dirceu, separada há anos, levou um apartamento e conseguiu um emprego. Mas é disso que estamos falando? É esse o "maior escândalo da história"?

Os desvios de dinheiro público, caso venham a ser comprovados, são uma denúncia séria e grave. Devem ser apurados e os responsáveis, punidos. Mas não sabemos sequer quanto o mensalão movimentou. Dois ministros conversaram sobre isso, e um deles concluiu que era coisa de R$ 150 milhões. Eu queria entender por que se chegou a esse número.

Conforme a CPMI dos Correios, é muito mais. Só a Telemig compareceu com maravilhosos R$ 122 milhões, sendo razoável imaginar que, pelo Estado de origem, seu destino tenha sido o modelo PSDB-MG. A Usiminas — veja como é grande o braço mineiro — mandou R$ 32 milhões para as agências de Marcos Valério. Mas é bom advertir: isso está na CPMI, não é prova, não é condenação.

A principal testemunha, Roberto Jefferson, acusou, voltou atrás, acusou de novo... Fez o jogo que podia e que lhe convinha a cada momento.

Eu posso pinçar a frase que quiser e construir uma teoria. Você pode pinçar outra frase e construir outra teoria. Jefferson foi uma grande "obra aberta" do caso.

O nome disso é falta de provas.

Presidente do Supremo Tribunal Federal - STF, ministro Carlos Ayres Britto, durante sessão do julgamento

CAPÍTULO 21.
O GOLPE IMAGINÁRIO
DE AYRES BRITTO

7h59, 11/10/2012
Paulo Mreira Leite

Confesso que ainda estou chocado com o voto de Ayres Britto ao condenar oito réus do mensalão ontem.

O ministro disse: "[O objetivo do esquema era] um projeto de poder quadrienalmente quadruplicado. Projeto de poder de continuísmo seco, raso. Golpe, portanto.".

Denunciar golpes de Estado em curso é um dever de quem tem compromissos com a democracia. Denunciar golpes de Estado imaginários é um recurso mais frequente quando se pretende promover uma ruptura institucional.

O caso mais recente envolveu Manuel Zelaya, o presidente de Honduras. Em 2009, ele foi arrancado da cama e, ainda de pijama, conduzido de avião para um país vizinho. Acusava-se Zelaya de querer dar um golpe para mudar a Constituição e permanecer no poder. Uma denúncia tão fajuta, que — graças ao WikiLeaks — ficamos sabendo que até a embaixada dos Estados Unidos definiu a queda de Zelaya como golpe. Mais tarde, ao reavaliar o que mais convinha a seus interesses de potência, a Casa Branca mudou de lado e encontrou argumentos para justificar a nova postura, fazendo a clássica conta de chegar para arrumar fatos e argumentos.

Em 31 de março de 1964 tivemos um golpe de Estado de verdade. O golpe foi preparado pela denúncia permanente de um golpe imaginário, que seria preparado por João Goulart para transformar o país numa "república sindicalista". Basta reconstituir os passos da conspiração civil-militar para reconhecer: o toque de prontidão do golpismo consistia em denunciar projetos antidemocráticos de Jango.

Considerando antecedentes conhecidos, o voto de Ayres Britto é preocupante, porque fora da realidade. Vamos afirmar: não há e nunca houve um projeto de golpe no governo Lula. Nem de revolução. Nem de continuísmo chavista. Nem de alteração institucional que pudesse ampliar seus poderes de alguma maneira.

Lula poderia ter ido às ruas pedir o terceiro mandato. Não foi e não deixou que fossem. Voltou para São Bernardo, mas, com uma história maior que qualquer outro político brasileiro, não o deixam em paz. Essa é a verdade. Temos um ex grande demais para ficar fora da história. Isso porque o PT quer extrair dele o que puder de prestígio e popularidade. A oposição quer o contrário. Sabe que sua herança é um obstáculo imenso aos planos de retorno ao poder.

Ouvido pelo *site* Consultor Jurídico, o professor Celso Bandeira de Mello, um dos principais advogados brasileiros, deu uma entrevista sobre o mensalão, ainda no começo do processo:

ConJur: Como o senhor vê o processo do mensalão?

Celso Antônio Bandeira de Mello: Para ser bem sincero, eu nem sei se o mensalão existe. Porque houve, evidentemente, um conluio da imprensa para tentar derrubar o presidente Lula na época. Portanto, é possível que o mensalão seja, em parte, uma criação da imprensa. Não estou dizendo que é, mas não posso garantir que não seja.

Bandeira de Mello é amigo e conselheiro de Lula. Foi ele quem indicou Ayres Britto para o Supremo. A nomeação de Brito — e de Joaquim Barbosa, de Cezar Peluso — ocorreu na mesma época em que Marcos Valério e Delúbio Soares andavam pelo Brasil para,

A OUTRA HISTÓRIA DO MENSALÃO

segundo o presidente do Supremo, arrumar dinheiro para o "continuísmo seco, raso".

Os partidos políticos podem ter, legitimamente, projetos duradouros de poder. É inevitável, porque poucas ideias boas podem ser feitas em quatro anos. Os tucanos de Sérgio Motta queriam ficar vinte e cinco anos. Ficaram oito. Lula e Dilma, somados, já garantiram uma permanência de doze.

Tanto num caso como em outro, tivemos eleições livres, sob o mais amplo regime de liberdades de nossa história. Para quem gosta de exemplos de fora, convém lembrar que até pouco tempo o padrão, na França, eram governos de catorze anos — em dois mandatos de sete. Nos Estados Unidos, Franklin Roosevelt foi eleito para quatro mandatos consecutivos, iniciando um período em que os democratas passaram vinte anos seguidos na Casa Branca. Os democratas de Bill Clinton poderiam ter ficado doze anos. Mas a Suprema Corte, com maioria republicana, aproveitou uma denúncia de fraude na Flórida para dar posse a George W. Bush, decisão ruinosa que daria origem a uma tragédia de impacto internacional, como todos sabemos.

O ministro me desculpe, mas acho que, para falar do mensalão como parte de projeto de "continuísmo seco, raso", é preciso considerar o Brasil uma grande aldeia de Gabriel García Márquez. Em vez de a quinta ou sexta economia do mundo, jornais, emissoras de TV, bancos poderosos, um empresariado dinâmico, trabalhadores organizados e 100 milhões de eleitores, teríamos de ter coronéis bigodudos com panças imensas, latifúndios a perder de vista, cidadãos dependentes, morenas lindas e apaixonadas, capangas de cartucheira.

No mundo de García Márquez não há democracia, nem conflito de ideias. Não há desenvolvimento, apenas estagnação, tédio e miséria. Naquelas aldeias do interior remoto da Colômbia homens e mulheres famintos vivem às voltas com um poder único e autoritário. Esmolam favores, promoções, presentes, pois ninguém tem força, autonomia e muito menos coragem para resolver a própria vida. Desde a infância, todos os cidadãos são ensinados a cortejar o poder, bajular. É seu modo de vida. Como recompensa, recebem esmolas.

No mensalão de Macondo, seria assim.

Será essa uma visão adequada do Brasil?

Em 1954, no processo que levou ao suicídio de Getúlio Vargas, também se falou em golpe. Com o apoio de uma imprensa radicalizada, em campanhas moralistas e denúncias — muitas vezes sem prova — contra o governo, dizia-se que Vargas pretendia permanecer no posto, num golpe continuísta, com apoio do "movimento de massas". Era por isso, dizia-se, que queria aumentar o salário mínimo em 100%. Embora o mínimo estivesse congelado desde 1946, por pressão conservadora sobre o governo Eurico Dutra, a proposta de reajuste era exibida como parte de um plano continuísta para agradar aos pobres — numa versão que parece ter lançado os fundamentos para as campanhas sistemáticas contra o Bolsa Família, cinquenta anos depois.

Embora falasse em mercado interno, desenvolvimento industrial e até tivesse criado a Petrobrás, é claro que Vargas queria apenas, em aliança com o argentino Juan Domingo Perón (o Hugo Chávez da época?), estabelecer uma comunhão sindicalista na América do Sul e transformar todo mundo em escravo do peleguismo, não é assim? E agora você, leitor, vai ficar surpreso. Um dos grandes conspiradores contra Getúlio Vargas, especialista em denunciar golpes imaginários, foi parar no Supremo. Chegou a presidente, teve direito a um livro luxuoso com uma antologia de suas sentenças.

Estou falando de Aliomar Baleeiro, jurista que entrou no tribunal em 1965, indicado por Castelo Branco, o primeiro presidente do ciclo militar, e aposentou-se em 1975, ano em que o jornalista Vladimir Herzog foi morto sob tortura pelo porão da ditadura.

Baleeiro deixou bons momentos em sua passagem pelo Supremo. Defendeu várias vezes o retorno ao estado de direito. Chegou a dar

A OUTRA HISTÓRIA DO MENSALÃO

um voto a favor de frades dominicanos que faziam parte do círculo de Carlos Marighella, principal líder da luta armada no Brasil. A ditadura queria condenar os frades. Baleeiro votou a favor deles.

Tudo isso é muito digno, mas não vamos perder o fio da história que nos ajuda a ter noção das coisas e aprender com elas.

Em várias oportunidades, o ministro que faria a defesa do estado de direito contribuiu para derrotá-lo. Baleeiro chegou ao STF com uma longa folha de serviços antidemocráticos. Em 1954, era deputado da UDN, aquele partido que reunia a fina flor de um conservadorismo bom de patrimônio e ruim de votos. Um dos oradores mais empenhados no combate a Getúlio Vargas, Baleeiro foi à tribuna da Câmara para pedir um "golpe preventivo". (Confira em *Era Vargas — Desenvolvimentismo, Economia e Sociedade*, página 411, UNESP editora.)

Os adversários de Vargas tentaram a via legal, o *impeachment*. Sofreram uma derrota clamorosa, como diziam os locutores esportivos de vinte anos atrás: 136 a 35.

Armou-se, então, uma conspiração militar. Alimentada pelo atentado contra Carlos Lacerda, que envolvia pessoas do círculo de Vargas, abriu-se uma pressão que acabaria emparedando o presidente, levando-o ao suicídio. Baleeiro permaneceu na UDN, e na eleição seguinte conspirou contra a campanha de JK, contra a posse de JK e contra o governo JK. Sempre com apoio nos jornais, foi um campeão de denúncias. Era aquilo que, mais uma vez com ajuda da mídia, muitos brasileiros pensavam que era o Demóstenes Torres — antes que a verdade do amigo Cachoeira viesse à tona.

Baleeiro estava lá, firme, no golpe que derrubou Jango para combater a subversão e a... corrupção. Foi logo aproveitado pelo amigo Castelo Branco para integrar o STF. Já havia denúncia de tortura e de assassinatos naqueles anos. Mortos que não foram registrados, feridos que ficaram sem nome. Não foram apurados, apesar do caráter supremo das togas negras.

HISTÓRIA AGORA

Entre 1971 e 1973, Baleeiro ocupava a presidência do STF. Nesses dois anos, o porão do regime militar matou pelo menos setenta pessoas. Nenhum caso foi investigado nem punido, como se sabe. Nem na época, quando as circunstâncias eram mais difíceis, nem quarenta anos depois, quando pareciam mais fáceis.

Em 1973, José Dirceu, que pertenceu à mesma organização que Marighella, vivia clandestinamente no Brasil. Morou em Cuba, mas retornou para seguir na luta contra o regime militar. Infiltrado no grupo, o inimigo atirou primeiro e todos morreram. Menos Dirceu. Os ossos de muitos levaram anos para serem identificados. Nunca soubemos quem deu a ordem. Não se apontou, como se pretende fazer no mensalão, quem tinha o domínio do fato para a tortura, as execuções.

Um dos principais líderes do Congresso da UNE, entidade que o regime considerava ilegal, Dirceu foi preso em 1968 e saiu da prisão no ano seguinte. Não foi obra da Justiça, infelizmente, embora estivesse detido pela tentativa de reorganizar uma entidade que desde os anos 1930 era reconhecida pelos universitários como sua voz política.

(Figurões da ditadura, como o pernambucano Marco Maciel, que depois seria vice-presidente de FHC; Paulo Egydio Martins, governador de São Paulo no tempo de Geisel, tinham sido dirigentes da UNE, antes de Dirceu.)

A Justiça era tão fraca naquele período, que Dirceu só foi solto como resultado do sequestro do embaixador Charles Elbrick, trocado por um grupo de presos políticos.

Mas, imagine. Foi preciso que um bando de militantes armados, em sua maioria garotos enlouquecidos com Che Guevara, cometesse uma ação desse tipo para que pessoas presas arbitrariamente, sem julgamento, pudessem recuperar a liberdade. Que país era aquele, não? Que Justiça, hein?

Preso no Congresso da UNE também, Genoino foi solto e ingressou na guerrilha do Araguaia. Preso e torturado em 1972, Genoino

A OUTRA HISTÓRIA DO MENSALÃO

conseguiu esconder a verdadeira identidade durante dois meses. Estava em Brasília quando a polícia descobriu quem ele era. Foi levado de volta à região da guerrilha e torturado em praça pública, como exemplo.

Ontem à noite, José Dirceu e José Genoino foram condenados por oito votos a dois e nove votos a um. Foi no final da sessão que Ayres Britto falou em "projeto de poder de continuísmo seco, raso. Golpe, portanto".

Eleitores comemoram vitória de Fernando Haddad na eleição para prefeito de São Paulo. Apesar das condenações pelo STF, aliados de Lula tiveram bom desempenho nas urnas

CAPÍTULO 22.
O DISTORCIDO EFEITO ELEITORAL DOS MENSALÕES

8h18, 12/10/2012
Paulo Moreira Leite

As primeiras pesquisas de São Paulo mostram que o efeito do mensalão pode não ter sido tão grande quanto os adversários de Fernando Haddad esperavam e os petistas temiam. Essa impressão se confirma com o bom desempenho do PT em plano nacional. Tornou-se o partido com maior número de votos. Entre os grandes, foi o único que ampliou o número de prefeituras. Também avançou entre as cidades com mais de 200 mil habitantes.

Em São Paulo, confirmando aquilo que os institutos de pesquisa anunciavam antes da votação, o maior problema do candidato do PT seria atravessar o primeiro turno. A previsão se mostra correta, ao menos até aqui. Na segunda fase, Haddad possui uma vantagem de dez pontos sobre José Serra, superior até mesmo ao número de indecisos. Mas isso não quer dizer que a campanha terminou. Nem que nas próximas semanas o adversário não tente usar o mensalão numa tentativa de prejudicá-lo. É do jogo eleitoral.

Ainda no primeiro turno, o Procurador-Geral da República, Roberto Gurgel, chegou a dizer que seria saudável se o julgamento do mensalão tivesse impacto na eleição municipal.

HISTÓRIA AGORA

Seria uma declaração adequada para um líder partidário, mas não me parece conveniente para um representante do Ministério Público. Até porque o impacto do mensalão não se deve, apenas, aos fatos em si. Diz respeito, igualmente, a um trabalho diferenciado para apurar e julgar a versão petista, e aquele realizado para investigar e julgar a do PSDB.

O PT e demais aliados do governo Lula podem ser prejudicados não só por aquilo que fizeram e por aquilo que os ministros do STF consideram que fizeram. Mas também por aquilo que a Justiça e o Ministério Público deixaram de investigar e de que o eleitor não ficou sabendo.

Até por essa razão, a atitude de festejar os efeitos eleitorais do julgamento não é conveniente. Mais antiga que o mensalão petista, a versão PSDB-MG foi descoberta muito mais tarde pela Polícia Federal e pelo Ministério Público. Enquanto os réus petistas foram colocados no horário nobre, os acusados do mensalão do PSDB-MG são mantidos embaixo do tapete. Ninguém sabe sequer quando serão julgados. Quando isso acontecer, serão levados, primeiro, a tribunais de primeira instância. Em caso de condenação, poderão recorrer em segunda instância, e, quem sabe, obter uma nova chance de provar sua inocência no STF.

É um processo lento, com mais garantias para os acusados. Os réus do PT não têm a quem apelar. Receberam sentenças definitivas — pelo que se pode saber até aqui, ao menos. Podem até bater as portas da corte interamericana de San José da Costa Rica, para onde se dirigem aqueles cidadãos que se consideram prejudicados em seus direitos pela Justiça de seu país.

Embora Joaquim Barbosa tenha feito questão de lembrar que a Justiça brasileira é soberana, e Ayres Britto, no mesmo sentido, já tenha falando em "Supremo Tribunal Federal... do Brasil", há antecedentes respeitáveis. As famílias das vítimas de tortura e mortes na repressão da guerrilha do Araguaia conseguiram na corte interamericana uma sentença favorável a seus pleitos e clamores depois que o governo brasileiro fechou as portas para toda investigação sobre culpas e responsabilidades. Alguém vai criticá-las por isso?

Quando se fala, então, dos efeitos do mensalão, é preciso corrigir. Não estamos falando de Justiça apenas, mas de política, de um dos efeitos dos "dois pesos e dois mensalões", como definiu Janio de Freitas. Muita gente pensa que o mensalão do PSDB-MG era uma coisa menor e pouco relevante. Essa impressão é um dos principais feitos do tratamento desigual. Ajuda a reforçar a impressão, essencialmente errada e eleitoralmente conveniente, de que o governo Lula e o PT tinham o monopólio das delinquências com recursos públicos.

Um aspecto curioso é que o mensalão do PSDB-MG é mais antigo — teve início na campanha estadual de 1998 — e será julgado mais tarde. Por quê? Isso se explica por vários fatores, inclusive sorte. Os tucanos não tiveram um Roberto Jefferson para fazer denúncias à *Folha de S.Paulo* quando ficou convencido de que estavam colocando olhares cobiçosos numa estatal que controlavam.

Derrotados por Itamar Franco em 1998, os tucanos mineiros pediram ajuda ao governo federal, diz Lucas Figueiredo, autor de *O operador*, recebendo guarida em verbas de publicidade de estatais durante o governo de FHC.

Por fim, contaram com um benefício grande, que foi a postura de boa parte da mídia. Conforme Joaquim Barbosa admitiu com muita franqueza, muitos repórteres davam sorrisos amarelos quando lhes perguntava se não queriam notícias do mensalão mineiro, em mais um sinal de preferência por um caso em detrimento de outro.

Portando metralhadoras, soldados mantem Congresso fechado, em 20 de outubro de 1966

CAPÍTULO 23
DITADURA GOSTAVA DE CRIMINALIZAR A POLÍTICA

11h08, 25/10/2012
Paulo Moreira Leite

Eu estava nos Estados Unidos, em 2000, quando George W. Bush tornou-se presidente por decisão da Suprema Corte. Havia ocorrido uma fraude na Flórida, que necessitava recontar seus votos. A Suprema Corte, de maioria republicana, decidiu interromper o processo e deu posse a Bush.

Em 2009, quando Manuel Zelaya foi deposto em Honduras, a Corte Suprema local deu respaldo ao golpe. O mesmo ocorreu no Paraguai, quando Fernando Lugo foi afastado do cargo sem direito a defesa por uma acusação que, está demonstrado agora, não tinha fundamento em provas — mas em denúncias, que, conforme a oposição não teve medo de anunciar, envolviam fatos que "todo mundo sabe".

Para quem só enxerga uma face da Operação Mãos Limpas, não custa recordar que a Justiça italiana colocou muitos corruptos fora de combate na Itália e transformou o *bunga bunga* Silvio Berlusconi no grande protagonista da política atual italiana. Os partidos foram destruídos, e em seu lugar ficou uma rede de TV. Quem é o dono? O *bunga bunga*. É tão *bunga,* que quando os mercados quiseram afastá-lo do cargo, foi preciso convencer Berlusconi a renunciar por vontade própria. Não havia quem desse a *bungada* de misericórdia.

Lembra-se da guilhotina da Revolução Francesa? Após dois anos de terror, de condenados em processos sumários, o saldo foi o esvaziamento da democracia e a lenta recuperação da aristocracia. Depois de guerras e ditaduras, proclamou-se o Império.

É claro que esses fatos servem de advertência e angústia diante do julgamento do mensalão. O Supremo está diante de crimes graves, que devem ser investigados e punidos. O inquérito da Polícia Federal aponta para vários crimes bem demonstrados. Mas não dá para aceitar longas condenações sem que as acusações estejam provadas e demonstradas de forma clara e consistente. O mesmo inquérito não oferece base para denúncias contra vários condenados. O confronto de depoimentos e as mudanças de versões da principal testemunha, Roberto Jefferson, mostram a fragilidade da acusação.

Vamos reconhecer o seguinte. Não tenho condições de afirmar, entre trinta e oito réus, quantos foram condenados com provas e quantos não foram. Não conheço cada caso em cada detalhe. As confusões das votações e debates sobre as penas mostram que os próprios ministros têm dificuldade para armazenar tantas informações, o que não diminui a responsabilidade de cada um deles pelo destino de todos.

Embora tivesse até uma conta em paraíso secreto, o publicitário Duda Mendonça saiu são e salvo do processo. Explicam-me que seu advogado fez uma defesa técnica e nada se provou que pudesse demonstrar seu envolvimento no caso.

Parece-me impecável. E justo, porque embora se possa falar em domínio do fato, é preciso mostrar quem tinha o domínio em cada fato.

José Dirceu e José Genoino estão sendo condenados porque "não se acredita" que não houvessem participado de nada... Não

A OUTRA HISTÓRIA DO MENSALÃO

é possível, dizem. Dirceu era o chefe... Genoino assinou um pedido de empréstimo e várias renovações.

O problema é que a denúncia é de 2005, e até hoje não surgiu uma prova consistente para condená-los. Posso até "imaginar" uma coisa. Mas o fato de poder imaginar, admitir que faz muita lógica, não quer dizer que tenha acontecido. O risco é alvejar pessoas sem prova em nome da indignação popular, estimulada por uma visão unilateral. Nem todos os meios de comunicação cobrem o caso da mesma maneira. Mas é fácil perceber o tom da maioria, certo?

Assim se cria um ambiente de linchamento, que pode ocorrer até em situações que ninguém acompanha. A Justiça brasileira está cheia de cidadãos — anônimos e pobres, de preferência — que são julgados e condenados a penas longas e duríssimas até que, anos e até décadas depois, se descobre que foram vítimas de um erro e de uma injustiça. De vez em quando, um deles consegue uma reparação. Às vezes, a vítima já morreu e seus parentes recebem alguns trocados. Às vezes, fica tudo por isso mesmo. O cidadão tem medo de ser vítima de uma nova injustiça e não faz nada.

Nesta semana, o ministro Celso de Mello comparou o mensalão ao PCC e o Comando Vermelho. Num raciocínio semelhante, Gilmar Mendes sugeriu que a "quadrilha", essencialmente, agia como uma organização de criminosos comuns.

Os dois ministros têm uma erudição jurídica reconhecida. Expressaram suas convicções com competência e lógica. Não é só por educação que admito minha ignorância para falar de seus votos. Mas essas comparações não fazem justiça à cultura que possuem.

Nos piores momentos do regime militar, os brasileiros que enfrentavam a ditadura de armas na mão eram descritos como "assaltantes de banco", "ladrões", "assassinos" ou "terroristas". Até menores de idade foram presos — sem julgamento — com essa acusação. As organizações armadas cometeram assaltos e sequestros.

Também cometeram ações que resultaram em mortes, algumas na forma de justiçamento.

Seria correto comparar Carlos Marighella ao Bandido da Luz Vermelha? Ou Lamarca ao Cara de Cavalo? Ou então, como fez um promotor louco para bajular militares, dizer que Dilma Rousseff, da Var Palmares, era a papisa da subversão?

Deu-se o golpe de 1964 com a alegação de que se deveria eliminar a subversão e a corrupção. Uma coisa leva à outra, dizia-se. É por isso que era preciso ligar uma coisa à outra. O PCB estimulava a corrupção como forma de desagregar o país, escreveu um dos editores da *Tribuna da Imprensa*, um dos principais envolvidos no golpe, logo depois da vitória dos militares. Vamos ler:

"Na maioria das vezes (os comunistas) são traidores. Outras, são mercenários; outras ainda, carreiristas; outras mais negocistas satisfeitos, que recebem todo o apoio do partido, pois uma das coisas que mais preocupam os agitadores é a corrupção, e assim eles a estimulam de todas as formas, pois sabem que não há melhor forma de estimular a desagregação de um país." (Prefácio do livro *Brasil 1º de abril*, de Araken Távora.)

A comparação entre o esquema financeiro político — com todos os crimes apontados — com quadrilhas criminosas é tão absurda, que pergunto se essa visão estará em pé no Supremo quando (e se) o mensalão do PSDB-MG for a julgamento. Duvido por boas e más razões, que você sabe muito bem quais são.

É fantasia falar em quadrilha que opera nos subterrâneos do poder. Por mais que muitas pessoas não enxerguem — e outras não queiram enxergar — diferenças entre os partidos políticos e organizações criminosas, eles têm projetos diferentes, visões diferentes e assim por diante. Por mais que se queira criminalizar a atividade política — é isso que acontece hoje —, é pura miopia confundir políticos e bandidos comuns. Não é uma questão de classe social, nem de *status* ou coisa semelhante. É uma questão de atividade profissional, digamos assim.

Acho diferente controlar o território numa favela para vender cocaína e coletar contribuições financeiras para disputar uma eleição.

Mesmo frequentando uma zona cinzenta da política brasileira que é o mundo das finanças partidárias — quem cunhou a expressão foi o filósofo tucano José Arthur Giannotti —, José Genoino tem o direito de assegurar que só fez o que era "legítimo e necessário".

Da mesma forma, José Dirceu tem toda razão em sustentar: "nunca fiz parte de uma quadrilha". Quem discorda, prove.

Não vale ganhar no grito, na dedução, no discurso. A gente sabe como se tentava demonstrar — sem provas — que Marighella, Lamarca, Cara de Cavalo e o Bandido da Luz Vermelha eram as mesmas pessoas.

O mundo real das finanças de campanha, organizadas e estruturadas para permitir o acesso do poder privado ao Estado, impõe uma realidade material aos partidos que, em todo lugar, precisam de recursos para buscar votos, montar estruturas, contratar funcionários e assim por diante. Não custa lembrar: o PCC persegue e mata policiais, planeja o assassinato de juízes. Controla o sistema carcerário em São Paulo e impõe a paz de sua conveniência em várias regiões miseráveis do Estado. O Comando Vermelho tem ligações conhecidas com o narcotráfico colombiano e controla parte do território do Rio de Janeiro. Está integrado à rede de tráfico de armas.

De uma forma ou de outra, estamos falando de bandidos comuns, e essa distinção é necessária. São pessoas que cometem crimes com a finalidade de praticar mais crimes.

Observadores que tentam nivelar uma coisa e outra praticam uma demagogia baixa, de quem investe na ignorância e desinformação do eleitor. Achar que o julgamento mostra que os poderosos vão para a cadeia é vender uma visão ridícula. Primeiro, porque se houvesse mesmo essa disposição, a turma do mensalão do PSDB-MG estaria sentada no mesmo banco dos réus petistas, já que respondem pelos mesmos crimes. São os mensaleiros originais. Segundo, porque é preciso ser tolo, maldoso para sugerir que José Genoino pode ser chamado de rico e poderoso. Terceiro: se você acha que, "ah... mas há algo de errado com José Dirceu", precisa não só admitir que Genoino não pode pagar por aquilo que se imputa a Dirceu, mas também deve lembrar que o ex-ministro da Casa Civil teve o sigilo bancário e fiscal quebrado e nada se encontrou de comprometedor. Alvo de um linchamento de caráter político no passado, o ex--ministro Alceni Guerra já comparou seu drama pessoal ao de Dirceu e disse que eram casos semelhantes. As duas únicas historinhas que pareciam comprometedoras contra o ex-ministro da Casa Civil não resistiram ao confronto de provas e versões.

Quarto: embora se diga que o mensalão está provado, até agora não surgiu um caso, sequer um, de político que tenha vendido seus votos. Nenhum.

A base desse argumento é a visão criminalizada de que toda aliança é um ato de suborno e todo acordo político é uma negociata. Quem fala que partidos que mudam de posição depois da eleição estão cometendo um crime precisa me explicar como ficam os Verdes alemães, que ora são social-democratas, ora estão com a conservadora Angela Merkel.

Também poderia fazer isso com o PPS que mudou de lado depois de 2002, com políticos que trocam de partidos, com quem funda partidos novos. Tudo é pilantragem remunerada?

Ninguém presta. São todos "mercenários", são "negocistas" e "traidores", como se dizia em 1964.

A melhor descrição do funcionamento das alianças políticas — e seus reflexos financeiros — foi feita por Eliane Cantanhêde na biografia do vice-presidente José Alencar. É tão desfavorável à acusação, que vários parágrafos da obra foram incorporados ao processo pela defesa de Delúbio Soares — como argumento de sua inocência!

A OUTRA HISTÓRIA DO MENSALÃO

Embora a denúncia tenha suposições falsas e conclusões imaginativas demais, estou convencido de que, como sempre acontece em sistema de arrecadação financeira, ocorreram desvios — mas nem tudo é criminoso. Há fatos verdadeiros e é importante que sejam apurados e punidos. Mas é preciso separar uma coisa da outra.

É lamentável que erros do passado não tenham sido investigados e punidos. Mas concordo que erros do passado não justificam erros do presente. Mas, pelo menos, deveriam servir de lição para quem diz que "agora" a justiça ficou igual para todos.

Querem punir os ricos e poderosos com o mensalão? Marcos Valério não terminou o curso de engenharia. Os banqueiros que podem parar na prisão não têm o lastro financeiro nem político de empresários que até agora ficaram de fora.

Convém pelo menos calibrar a demagogia.

Com todas as distorções, arrecadações financeiras fazem parte da política, essa atividade criada pelo homem para resolver diferenças e defender interesses com métodos mais civilizados do que a pura violência. Ela torna possível, nos regimes democráticos, que a maioria possa defender seus direitos. E também permite que a minoria possa se expressar.

O objetivo era levantar recursos financeiros para as campanhas eleitorais de um governo que — acho que nem a oposição mais cega discute isso — reorientou o Estado no sentido de favorecer a população mais humilde.

Um fato fica para você resolver. Tudo pode ser uma coincidência histórica. Mais uma vez. Ou pode ser que muitas pessoas estejam felizes com o STF porque essa "turma do PT está tomando uma lição".

Nós sabemos os vários significados de "turma do PT" — os bairros onde seus eleitores moram, o salário que recebem, escolas e hospitais que frequentam, e assim por diante.

O governo Lula tomou medidas notáveis e muito eficazes para defender a Lei, a Ordem e a Justiça. A saber:

a) Financiou as UPPs que emanciparam os moradores das favelas do Rio de Janeiro do controle do tráfico.

b) Protegeu a autonomia do Ministério Público, nomeando para seu comando os procuradores mais votados, embora o governo avaliasse que tivessem uma postura oposicionista, motivo que já levou governadores a descartar candidatos que eram preferidos de suas corporações.

c) Respeitou o Supremo a ponto de nomear juízes com independência, que hoje asseguram uma maioria de votos contra o ponto de vista do PT e seus aliados.

Estamos falando de fatos de domínio público. Não são segredos imaginados, sugeridos, deduzidos. E é um fato de domínio público que a política, sob qualquer partido, para qualquer candidato, entrará na zona cinzenta de Giannotti.

É curioso notar que nenhuma mudança nesse sistema de financiamento pôde ser realizada até agora, porque aqueles políticos que se dedicam a denunciar Lula e o PT não querem abrir mão de seus canais com o poder econômico privado e impedem que o país adote um sistema de financiamento público exclusivo de campanhas. Com essa mudança, seria possível corrigir as principais distorções. As verbas seriam controladas pelo Estado, com uma contabilidade oficial, e cada partido receberia recursos em função de seus votos. A oposição não aceita. Sabe por quê? Porque tem recebido tão poucos votos, que ficaria em desvantagem. Embora se tenha feito uma oferta para garantir um piso financeiro, ela não mudou a postura.

A OUTRA HISTÓRIA DO MENSALÃO

Prefere o dinheiro privado, particular. Mas anda tão ruim de voto que, para evitar o desperdício, tem sido até abandonada por seus financiadores tradicionais.

É mesmo complicado, não?

Prefiro uma democracia que funcione com defeitos — que podem ser corrigidos — a qualquer solução sem o respeito pelos direitos integrais dos acusados.

© Daniel Ferreira/CB/D.A Press

Marcos Valério durante
depoimento na CPMI da Compra de
Votos do mensalão, em 2005

CAPÍTULO 24.
QUEM NÃO TEM VOTO, CAÇA COM VALÉRIO

8h39, 2/11/2012
Paulo Moreira Leite

O alvoroço provocado pela notícia de que Marcos Valério pode ter informações comprometedoras contra Lula, Antonio Palocci e até sobre o caso Celso Daniel chega a ser vergonhoso. Desde a denúncia de Roberto Jefferson que Valério tem demonstrado grande disposição para colaborar com a polícia. Foi ele quem entregou a relação de trinta e dois beneficiários das verbas do mensalão, inclusive Duda Mendonça.

O estranho, agora, não é a iniciativa de Valério, mais do que compreensível para quem se encontra numa situação como a sua. Não estou falando apenas dos quarenta anos de prisão.

As condenações de José Dirceu e José Genoino se baseiam em "não é possível que não soubessem", "não é plausível", "um desvio na caminhada" e assim por diante. Acho legítimo pensar que deveriam ser questionadas em novo julgamento, o que certamente poderia ser feito se tivessem direito a uma segunda instância, como vai ocorrer com os réus do mensalão do PSDB-MG que foram desmembrados nesses "dois pesos, dois mensalões", na definição de Janio de Freitas.

Parece muito difícil questionar o mérito das acusações contra Valério. Ele participava de um esquema para levantar recursos de campanha. Mas seu interesse era comercial, digamos assim. Pretendia levantar R$ 1 bilhão até o fim do governo, disse Silvio Pereira, secretário-geral do PT, em entrevista a Soraya Aggege, de *O Globo*, em maio de 2006. Era o titular do esquema, o dono das agências de publicidade, aquele que recolhia e despachava o dinheiro, inclusive com carros-fortes e conta em paraíso fiscal.

O estranho, agora, não é o comportamento de Valério. São os outros. É a torcida, o ambiente de vale-tudo.

Ele teve sete anos para apresentar qualquer informação relevante. A menos que tenha adquirido o costume de criar dificuldades para comprar facilidades até com a própria liberdade, o que não é bem o costume dos operadores financeiros, seu silêncio sugere a falta de fatos importantes para revelar. Ele enfrentou em silêncio a denúncia do primeiro procurador, Antônio Carlos Fernando de Souza, em 2006. Assistiu do mesmo modo à aceitação da denúncia pelo Supremo, em 2007. Deu não se sabe quantos depoimentos à Justiça e à Polícia. Seu advogado, Marcelo Leonardo, um dos mais competentes do julgamento, escreveu não sei quantas alegações finais no STF.

Nem mesmo quando, preso por outras razões, tomava porrada de colegas de presídio numa cadeia, lembrou que podia contar algo para se proteger?

A verdade é que os adversários de Lula não conseguem esconder a vontade de que Valério tenha grandes revelações a fazer. Deveriam estar, acima de tudo, desconfiados e cautelosos, já que as circunstâncias não garantem a menor credibilidade a qualquer denúncia feita depois que um réu enfrenta uma condenação de quarenta anos e não se vislumbra nenhum atenuante para amenizar a situação.

É preocupante, porque sabemos que é possível transformar versões falsas em fatos verdadeiros. Basta que os melhores escrúpulos sejam deixados de lado, as versões anunciadas sejam convenientes e atendam aos interesses de várias partes envolvidas. O país tem uma longa experiência nessa área. Já se viu denúncias de grampo telefônico sem que houvesse fita gravada. Falou-se de uma conta em paraíso fiscal — do próprio Lula e alguns ministros.

Na prática, os adversários de Lula querem que Valério entregue aquilo que o eleitor não entregou. O próprio Valério sabe disso. De seu ponto de vista, qualquer coisa será melhor que enfrentar uma pena de quarenta anos, concorda? Qualquer coisa.

Do ponto de vista dos adversários de Lula, também. Qualquer coisa é melhor que uma longa perspectiva de derrotas, não é mesmo? Talvez não por quarenta anos, mas, quem sabe, mais quatro?

É por isso que os interesses das partes agora coincidem. O mocinho da oposição tornou-se Valério.

No mundo do "não é possível", do "é plausível", do "não pode ser provado, mas não poderia ser de outra forma" as coisas ficam fáceis para quem acusa. A moda ideológica, agora, é acusar de bonzinho quem acha que a obrigação da prova cabe a quem acusa.

E eu, que pensei que a presunção da inocência era um direito constitucional e fazia parte das garantias fundamentais. Mas não. Isso é ser bonzinho, é se fazer de ingênuo.

No novo figurino, as coisas parecem verdadeiras porque não podem ser provadas. É a inversão da inversão da inversão. O movimento estudantil tem uma corrente que se chama negação da negação. Estamos dando uma radicalizada...

A experiência ensina que há um meio infalível de levantar uma credibilidade em baixa. É a ameaça de morte, o que explica a lembrança do caso Celso Daniel. Os advogados dizem que Valério sofreu ameaças de morte. Já se fala nos cuidados com a segurança pessoal e da família. Também li que a Polícia Federal "ainda" não decidiu protegê-lo.

Algumas palavras têm importância especial em determinados momentos. A morte de Celso Daniel foi acompanhada por várias suspeitas de crime político, mas, no fim de três meses de investigação, a Polícia Civil de São Paulo concluiu que fora crime comum. Um delegado da Polícia Federal, que seguiu o caso e até participou das investigações a pedido de Fernando Henrique Cardoso, chegou à mesma conclusão. O caso parecia encerrado. Os suspeitos estavam presos, confessaram tudo e aguardavam julgamento. Quem fala em aparelho petista deve lembrar que a investigação tinha o respaldo do comando da Polícia do governo Alckmin e da PF no tempo de FHC.

O caso saiu dos arquivos quando um irmão de Celso Daniel alegou que sofria ameaça de morte. Fiz várias entrevistas com familiares e policiais e posso afirmar que nunca ouvi relato de um único fato consistente. Nem um grito ameaçador ao telefone. Nem um palavrão no trânsito. Nem um empurrão no bandejão da faculdade. Nunca.

Respeito aquelas pessoas, fomos colegas de luta no movimento estudantil, mas aquilo me pareceu uma história sem consistência. Eu ia fazer uma matéria sobre essa denúncia, mas aquilo não dava uma linha. Não havia sequer um fato para ser narrado. Nem um boato para ser desmentido. Nada. Fiquei impressionado porque eu havia entrado na história achando que havia alguma coisa, seja lá o que fosse. Nada. Mas a família conseguiu o direito de viver exilada na França. O caso foi reaberto, e embora uma segunda investigação policial tenha chegado à mesma conclusão, o suspeito de ser o mandante aguarda o momento de ir a julgamento.

Nos últimos meses, com o julgamento do mensalão, os adversários de Lula pensavam que seria possível reverter o ambiente político favorável a ele, no país inteiro. É esse ambiente que coloca a reeleição de Dilma no horizonte de 2014, embora muita enxurrada possa passar por debaixo da ponte. Mas, no momento, essa perspectiva, para a oposição, é insuportável e dolorosa — até porque ela não foi capaz de reavaliar suas sucessivas derrotas do ponto de vista político, não fez um balanço honesto dos acertos do governo Lula, o que dificulta aceitar que o país tem um presidente popular como nenhum outro antes dele, a tal ponto que até postes derrotam medalhões vistos como imbatíveis. Em seu apogeu, a ideia de renovação sugerida por FHC foi descartada como proposta petista por José Serra. Assim fica difícil, não é?

(Vamos homenagear os postes. Essa expressão foi cunhada por uma das principais vozes da luta pela democratização, Ulysses Guimarães, para quem "poste" era o candidato capaz de representar os interesses do povo e da democracia, mesmo que fosse um ilustre desconhecido. Certa vez, falando sobre a vitória estrondosa do MDB em 1974, quando elegeu dezessete de vinte e seis senadores, Ulysses falou que naquela eleição o partido elegeria "até um poste". Postes, assim, são candidatos que entendem o vento de sua época.)

Semanas antes da eleição do poste Fernando Haddad, o Procurador-Geral Roberto Gurgel chegou a dizer que acharia "saudável" se o julgamento influenciasse a decisão do eleitor. Muita gente achou natural um Procurador falar assim. Eu não fiquei surpreso porque sempre achei a denúncia politizada demais, cheia de pressupostos e convicções anteriores aos fatos. Acho que a denúncia confunde aliança política com compra de votos e verba de campanha com suborno, o que a leva a querer criminalizar todo mundo que vê pela frente — embora, claro, o STF tenha sido seletivo ao separar o mensalão do PSDB-MG, como nós sabemos e nunca será demais lembrar. Mas não achei o pronunciamento do Procurador natural. Em todo caso, considerando a liberdade de expressão...

Mas a fantasia oposicionista era tanta, que teve gente até que se despediu de Lula, lembra?

Coube combinar com o eleitor, como diria o grande Garrincha se fosse mestre da política e não do futebol.

Em campanha própria, com chapa pura, os adversários de Lula tiveram uma grande vitória em Manaus. Viraram a eleição em Belém, onde o PSOL não quis apoio de Lula. Ganharam em Belo Horizonte em parceria com Eduardo Campos, que até segundo aviso é da base de Lula e Dilma.

O PT cresceu no número de prefeituras, no número de votos em escala nacional, e também levou o troféu principal da campanha, a prefeitura de São Paulo. Mesmo com a vitória em Salvador, os partidos conservadores, à direita do PSDB, tiveram a metade do eleitorado reunido em 2008. Isso aí: perderam 50% dos votos.

É nesse ambiente que Valério passa a ter importância. Quem não tem voto, caça com Valério.

José Genoino
no DOPS, 1968

CAPÍTULO 25.
A DOSIMETRIA DA DITADURA E O MENSALÃO

13h31, 5/11/2012

Paulo Moreira Leite

Se você já viu pessoas preocupadas com o tamanho das penas do mensalão, é bom prestar atenção numa coisa. Tanto Dirceu quanto Genoino já foram presos durante a ditadura militar. Eram considerados perigosíssimos por um regime que não respeitava as liberdades nem os direitos fundamentais. Nenhum cumpriu pena semelhante às que podem receber agora, nesta semana em que o STF volta a definir as penas dos réus do mensalão.

Temos réus, como Marcos Valério, condenados a quarenta anos. Um de seus sócios, Ramon Hollerbach, já chegou a catorze anos. Não sabemos até onde isso vai chegar.

(Francamente: nem Suzane von Richthofen, que matou o pai e a mãe e fugiu com o namorado para o motel, pegou pena tão longa. Nem Alexandre Nardoni, condenado por jogar a filha da janela do sexto andar.)

A maioria dos estudiosos calcula que José Genoino e José Dirceu devem receber penas duríssimas, como você já deve ter reparado. Estamos falando da privação de liberdade de pessoas contra as quais não há assim provas "robustas", para empregar uma linguagem de quem é especialista. Estamos no mundo do plausível, do acredito, do só pode ser assim.

Mas também estamos numa democracia, em que todos têm direito a uma defesa e merecem ser considerados inocentes até prova em contrário.

Não deixa de ser curioso reparar o que aconteceu com Dirceu e Genoino quando foram presos pelo regime militar. Acusado de integrar o "núcleo político" do mensalão, Genoino tinha lá sua hierarquia em 1972, quando foi preso na guerrilha do Araguaia. Foi acusado de ser "coordenador e chefe do grupo de guerrilheiros" da região da Gameleira. Esperou três anos para ser julgado, e, no fim, recebeu a pena máxima. Sabe quanto? Cinco anos.

Na sentença, os juízes militares ainda tiveram o cuidado de explicar que uma pena tão elevada se devia à "periculosidade do criminoso, e não do crime". Contribuiu para a severidade da pena o fato de que Genoino denunciou ter sido torturado na prisão. Considerou-se que isso ajudava a definir Genoino como "fanático guerrilheiro e político perigosíssimo". Depois de cumprir três anos de cadeia, Genoino tentou transformar a pena restante em liberdade condicional. Não conseguiu e ficou preso até o último dia.

José Dirceu foi preso no Congresso da UNE, em Ibiúna, e só recuperou a liberdade porque, no ano seguinte, foi incluído no grupo de presos políticos trocados pelo embaixador Charles Elbrick. Até então, já havia ficado um ano na prisão, sem julgamento.

Não interessava à ditadura levar Dirceu ao banco dos réus. O plano era que ficasse ali, no puro arbítrio. O único crime de que poderia ser acusado era de tentar reorganizar "entidade extinta", o que não era grande coisa pelos parâmetros da ditadura. Teve gente condenada por isso que pegou seis meses de prisão. Era tão pouco tempo, na época, que a maioria já tinha cumprido a pena antes do julgamento.

A pena de banimento de Dirceu, anunciada depois que foi trocado pelo embaixador, durou nove anos.

Durante a ditadura, o Supremo convivia subjugado a um tribunal militar que usurpava a mais nobre das funções de um juiz, que é fazer o justo sem ameaçar a liberdade.

Não acho que a Justiça militar seja exemplo de coisa alguma para alguma coisa. Tolerava a tortura, fingia não enxergar execuções. Julgava com provas sem valor legal, pois obtidas sob tortura. Mas é lamentável constatar que nem um regime que não tinha o menor compromisso com a democracia, considerando-se no direito de suspender as liberdades públicas para combater a "subversão e a corrupção", aplicou penas tão duras.

Uma ditadura, como sabemos, trabalha na lógica da presunção da culpa. E, vamos combinar. De armas na mão, vivendo no meio de agricultores miseráveis do interior do Pará, não havia como negar que Genoino estivesse envolvido na guerrilha.

Dirceu era candidato a presidente da UNE, fora presidente da UEE. Sua prisão, em Ibiúna, foi um flagrante, digamos assim. A lei era arbitrária, pois proibia uma entidade legítima. Mas a prova existia, certo?

E aí, chegamos ao Supremo, em 2102. Temos penas máximas contra provas mínimas.

Nenhuma história contra José Dirceu fechou. Até agora, estão investigando o Banco Central para ver se aparece alguma coisa a mais na atuação de Marcos Valério. Já se passaram sete anos...

Contra José Genoino, tem-se a dedução de que o pedido de empréstimo que assinou era fajuto. Mas o empréstimo estava lá, registrado, foi renovado, mais uma vez, e outra.

Um ministro já comparou os envolvidos no mensalão com o Comando Vermelho e com o PCC. Outro falou que eles queriam dar um golpe de Estado. Mais de uma vez, entre uma sentença e outra, ouviram-se ironias sobre o Partido dos Trabalhadores, e até insinuações que envolviam Dilma Rousseff.

Que dosimetria, não?

(Dirceu acabou condenado a dez anos e dez meses de prisão, mais multa de R$ 676.000 Deverá cumprir pelo menos um sexto desse período em regime fechado. Genoino foi condenado a seis anos e onze meses e terá direito a regime aberto. Terá de pagar multa de R$ 468.000.)

© Iano Andrade/CBD A Press

Ministros Marco Aurélio
Mello e Joaquim Barbosa,
durante o julgamento

CAPÍTULO 26.
TODO MUNDO É SALAFRÁRIO?

05h53, 11/11/2012
Paulo Moreira Leite

Editorial do *Estadão*, na sexta-feira, fez observações duras sobre o comportamento de Joaquim Barbosa, o ministro relator do julgamento do mensalão. Observou que "desde as primeiras manifestações de inconformismo com o parecer do revisor Ricardo Lewandowski" a atuação de Joaquim Barbosa "destoa do que se espera de um membro da mais alta corte de Justiça do país".

O jornal, o mais influente nos meios jurídicos, explica que, em vez de "serenidade", o ministro "como que se esmera em levar um espetáculo de nervos à flor da pele, intolerância e desqualificação dos colegas".

Lembrando que Joaquim Barbosa exibiu um sorriso debochado diante de um colega que declarava discordâncias — parciais — em relação a um de seus votos, o jornal lamenta o "desdém estampado na face do relator" e registra a queixa de Marco Aurélio Mello: "Não admito que Vossa Excelência suponha que todos aqui sejam salafrários e só Vossa Excelência seja uma vestal".

Acho que em algumas situações o STF tem agido como se fosse possível supor "que todos aqui sejam salafrários". Exigir passaportes de quem ainda não foi condenado definitivamente — o julgamento não acabou, gente! — é uma decisão desnecessária. O mesmo vale para a decisão de incluir os réus na lista de procurados. São medidas com amparo legal. Mas a questão não é essa. Estamos tratando de pessoas que jamais se recusaram a atender a um chamado da Justiça.

Se hoje os brasileiros podem defender seus direitos no Supremo — e não submeter-se a coronéis e generais da Justiça militar — é porque se travou uma luta por isso. No banco dos réus, hoje, encontramos vários lutadores que participaram da democratização do país.

Quando se recusaram a obedecer à lei, não eram elas que estavam erradas, mas a Justiça, inclusive o Supremo da época, que vergonhosamente se curvou à ditadura, omitiu-se diante da tortura e da perseguição política, deixando a Justiça militar tratar de crimes considerados políticos.

Quem considera que o STF é exemplo para o país poderia se perguntar: depois de torcer abertamente para que o julgamento influenciasse as eleições para prefeito, agora se quer que os réus sejam hostilizados quando saem à rua? Queremos humilhação? Vamos ampliar aquele teatro, estimulado artificialmente pelos adversários, como se sabe, de agressividade e ofensas?

Acho indecoroso lhes dar o tratamento de criminosos comuns, de bandidos. Sabe por quê? Porque eles não são. Têm projeto para o país, defendem ideias, já lutaram de forma corajosa por elas. Pode-se falar o que se quiser dessa turma, mas não há prova de enriquecimento suspeito de Dirceu nem de Genoino. Nem de Delúbio Soares, nem de João Paulo Cunha. Nem de Henrique Pizzolato, condenado como maior responsável pelo desvio de recursos do Visanet.

É é porque têm ideias e projetos que essas pessoas foram levadas a julgamentos no STF, e não a um juiz de primeira instância. E é só porque esse projeto tem apoio da maioria da população que esse julgamento tem importância, não sai dos telejornais nem das manchetes. A causa é política. Pretende-se deixar o Supremo julgar essas pessoas, quando esse é um direito da população.

E é um julgamento político, vamos combinar. Pretende-se usá-lo como exemplo.

E é pelo receio de que o exemplo se repita, de condenações sem provas, sem demonstrações inquestionáveis de culpa dos réus, que mesmo quem apoia as decisões do STF começa a ficar preocupado. Por quê?

Porque é injusto. E teme-se que a injustiça dessa decisão contamine as próximas.

Imagine se o mensalão mineiro obedecer ao mesmo ritual, da lei do "sei que só podia ser dessa forma", do "não é plausível" e assim por diante. Vamos ter de voltar a 2000, quando, seguindo a CPI dos Correios, o dinheirinho do PSDB começou a sair do Visanet. Vamos ter de chegar lá e apontar quem era o responsável por liberar a grana que, conforme escreve Lucas Figueiredo no livro *O operador*, chegou a R$ 47 milhões apenas no mandato de Aécio Neves no governo de Minas Gerais.

É assim que vai se fazer a campanha presidencial da grande esperança anti-Dilma em 2014? Parece que não, meus amigos.

É certo que há uma visão política por trás disso. Essa visão é seletiva e ajudou a deixar o mensalão do PSDB-MG num tribunal de primeira instância, medida que favorece os réus. Essa visão é, acima de tudo, distorcida e tem levado à criminalização da atividade política. Confunde aliança política com "compra de votos" e "pagamento de propina". E estamos condenando sem serenidade, no grito, como se todos fossem "salafrários".

As provas são fracas. O domínio do fato é um argumento de quem não tem prova individual. Você pode até achar uma jurisprudência válida. Pode até achar que "não é possível" que Dirceu não soubesse, nem Genoino. Mas a *Folha* de hoje publica uma entrevista com um dos autores da teoria do domínio do fato. Basta ler para concluir que, falando em tese, ele deixa claro que é preciso mais do que se mostrou no julgamento.

Mas, não vamos esquecer que o domínio do fato se referia a uma hierarquia de tipo militar, na qual funciona a lei de obediência devida — o soldado que desobedece à cadeia de comando pode ir a julgamento.

É disso que estamos falando? De um bando de manés que Dirceu dominava, todo-poderoso? Que Genoino comandava porque acabara de virar presidente do PT e tinha de assinar documentos em nome do partido? De generais e soldados?

Alguém ali era menor de idade, não fora vacinado? Alguém não sabia ler ou escrever? Não tinha vontade própria?

Outro ponto é que faltam testemunhas para sustentar a tese da acusação. O mensalão que "todo mundo sabe que existia" continua mais invisível do que se pensa.

Roberto Jefferson é volúvel como prima-dona de ópera. Faltam até heróis nesse caso.

Sabe aquela publicitária tratada como heroína por determinados órgãos de imprensa porque denunciou os desvios no Visanet? Pois é. Embora tenha sido mencionada no tribunal por Roberto Gurgel e também por Joaquim Barbosa, a Polícia Federal encontrou R$ 25 mil em sua conta, depositados por uma agência subcontratada pela DNA que é de... Marcos Valério. Teve outro, o câmera que filmou a denúncia dos Correios. O cara trabalhava para o bicheiro Cachoeira.

Coisinhas mequetrefes, né...

A acusação de que o mensalão "está na cara" é complicada quando se lê uma resolução do Tribunal de Contas da União que sustenta o contrário e diz que as despesas fecham. Por essa resolução, não houve desvio.

Você precisa achar que "todo mundo é salafrário" para acreditar em outra coisa. O texto está ali, fundamenta o que diz e assim por diante. E lembra que testemunhas que dizem o contrário são inimigas notórias de quem acusam.

Falamos em "desvio de dinheiro público", mas não temos uma conta básica. Assim: quanto saiu dos cofres públicos, quando foi entregue a quem deveria receber — agências de publicidade, meios de comunicação que veiculam anúncios — e quanto se diz que foi desviado. Há estimativas que, às vezes, merecem apenas o nome elegante de "chute".

O fato é que não sabemos, de verdade, qual o tamanho disso que se chama de "mensalão". É curioso que, mesmo com estimativas, o Supremo fale em pedir aos réus que devolvam o dinheiro desviado. Mas como, se não se sabe, exatamente, quanto foi? Devolver estimativa?

Então, conforme o TCU, não houve desvio. Você pode até contestar essa visão, mas não é uma questão de opinião somente. Precisamos mostrar os dados, os números, as datas. Não posso entrar no banco e dizer que o dinheiro sumiu de minha conta sem mostrar os saldos e extratos, concorda? E o banco tem de mostrar para onde foi o dinheiro que eu disse que estava lá, certo?

Nós sabemos que os ministros do TCU são indicados por razões políticas e muitos deles são ex-deputados, ex-ministros. Até posso achar que é "todo mundo salafrário", mas não se pode tomar uma decisão com base nessa opinião sem tomar uma providência — como denunciar os supostos salafrários na Justiça, concorda? Vamos cassar os ministros que sustentam a lisura dos contratos?

Sei que você pode discordar do que estou dizendo. Tudo bem. É seu direito. Concorda? Também.

Eu só acho que desde Voltaire, um dos pioneiros do Iluminismo, "posso não concordar com nada do que dizeis, mas defenderei até a morte o direito de dizê-lo".

O nome disso é democracia. E é em nome disso que não entendo por que o relator Joaquim Barbosa se declarou ofendido com uma crítica de José Dirceu ao julgamento.

Dirceu falou em populismo jurídico. Barbosa considerou isso uma "afronta". É engraçado. Embora o populismo tenha virado xingamento depois de 1964, existem cientistas políticos renomados que dizem que é um sistema de ação político válido, que envolve, claro, o argentino Perón, o turco Kemal Atatürk e muitos outros.

Mas essa é outra discussão. O que importa aqui é lembrar que juiz julga e fala pelos autos, mesmo quando o julgamento é televisionado. Não pode ficar ofendido. Ou melhor, pode. É humano. Mas não pode manifestar isso num julgamento. Não pode ter uma opinião pessoal. Não pode falar que gosta de um partido, ou que tem desprezo por outro. Tem de ser inteiramente impessoal, e por isso usa uma toga negra. Seu símbolo é uma balança, os olhos vendados.

Um juiz pode até ficar indignado com os métodos com que se faz política no Brasil desde os tempos de Pedro Álvares Cabral. Mas não pode enxergar corrupção por trás de toda aliança política que não entende nem consegue explicar. Não pode achar que todo pacto entre partidos é feito de roubo e de propina.

Vou me candidatar ao troféu de frasista do domingo ao lembrar que se não houvesse divergência nem traição, nunca haveria aliança em política. É só perguntar à velha guarda do PMDB o que achou da aliança de Tancredo Neves com Sarney e do abandono das Diretas Já. Aos tucanos, o que eles acharam do acordo com ACM para eleger Fernando Henrique Cardoso. Até dona Ruth se enfureceu. Aos petistas, o que acharam dos "novos amigos" que apareceram em 2002, a começar por um empresário que ficou vice, da Carta ao Povo Brasileiro e assim por diante...

Se todo mundo pensasse igual, não era preciso fazer aliança. Aliança se faz com adversários e aliados distantes. Se não fossem, entravam para o partido, certo?

Alianças envolvem partidos diferentes, e às vezes muito diferentes. Podem ser um desastre ou uma maravilha, mas são legítimas como instrumento de governo. Claro que, pensando como o PCO, o PSTU, a LER, o MNN, é possível achar que não dá para fazer aliança com quem é salafrário, categoria que na visão dessa turma inclui mais ou menos 200% dos políticos — aqueles que estão em atividade e todos os outros que ainda não entraram na profissão.

Aliança se compra com dinheiro? Não. É suborno? Não. Mas inclui dinheiro, porque a política, desde a invenção do capitalismo e da sociedade burguesa, é uma atividade que deixou de ser exclusiva da nobreza, chegou ao cidadão comum e se profissionalizou. O dinheiro pode sair do Estado, recursos que permitem um controle real e uma distribuição democrática. Ou pode vir dos interesses privados, que colonizam o Estado conforme seus interesses. Os adversários da turma que está no banco dos réus sempre se opuseram a uma reforma que permitisse esse controle maior. Dá para imaginar por quê.

Os "políticos salafrários" só pensam numa coisa: ganhar a próxima eleição. A vida deles é assim. Contaram os votos, começam a pensar na campanha seguinte. É normal. Você pode achar muito oportunismo. Eu não. A democracia não para. Por isso as verbas de campanha são sua preocupação permanente. Por isso os mais velhos contam que o movimento democrático que derrubou a ditadura militar tinha uma caixinha clandestina que ajudou a vitória de Tancredo Neves no Colégio Eleitoral. Era imoral? Não. Era ilegal? Devia ser.

Os grandes financiadores da luta no Colégio Eleitoral foram grandes empreiteiras. Em 1964, quando até Juscelino foi humilhado por um IPM infamante, dizia-se que o mundo se dividia entre subversivos e corruptos. Mas estávamos numa ditadura, quando se espera que seus adversários políticos sejam tratados como inimigos morais. Esse recurso favorece decisões arbitrárias.

Numa democracia, todos são inocentes — até que se prove o contrário.

Claus Roxin, um dos criadores da teoria do domínio do fato

CAPÍTULO 27.
CONDENADO SEM DOMÍNIO NEM FATO

18h53, 12/11/2012
Paulo Moreira Leite

O futuro dirá o que aconteceu hoje no Supremo Tribunal Federal. O primeiro cidadão brasileiro condenado por corrupção ativa num processo de repercussão nacional se chama José Dirceu de Oliveira. Foi líder estudantil em 1968, combateu a ditadura militar, teve um papel importante na organização da campanha pelas Diretas Já e foi um dos construtores do PT, partido que em 2010 conseguiu um terceiro mandato consecutivo para governar o país.

Pela decisão, cumprirá um sexto da pena em regime fechado, em cela de presos comuns.

O sigilo fiscal e bancário de Dirceu foi quebrado várias vezes. Nada se encontrou de irregular, nem de suspeito. Ficará numa cela em companhia de assaltantes, ladrões, traficantes de drogas.

Vamos raciocinar como cidadãos. Ninguém pode fazer o que quer só porque tem uma boa biografia. Para entender o que aconteceu, vamos ouvir o que diz Claus Roxin, um dos criadores da teoria do domínio do fato — aquela que foi empregada pelo STF para condenar Dirceu. A *Folha* publicou, ontem, uma entrevista de Cristina Grillo e Denise Menchen com Roxin.

HISTÓRIA AGORA

Os trechos mais importantes você pode ler aqui:

Grillo e Menchen: É possível usar a teoria para fundamentar a condenação de um acusado supondo sua participação apenas pelo fato de sua posição hierárquica?

Roxin: Não, em absoluto. A pessoa que ocupa a posição no topo de uma organização tem também que ter comandado esse fato, emitido uma ordem. Isso seria um mau uso.

Grillo e Menchen: O dever de conhecer os atos de um subordinado não implica corresponsabilidade?

Roxin: A posição hierárquica não fundamenta, sob nenhuma circunstância, o domínio do fato. O mero ter que saber não basta. Essa construção ["dever de saber"] é do direito anglo-saxão e não a considero correta. No caso de Fujimori (Alberto Fujimori, presidente do Peru, condenado por tortura e execução de presos políticos), por exemplo, foi importante ter provas de que ele controlou os sequestros e homicídios realizados.

Grillo e Menchen: A opinião pública pede punições severas no mensalão. A pressão da opinião pública pode influenciar o juiz?

Roxin: Na Alemanha temos o mesmo problema. É interessante saber que aqui também há o clamor por condenações severas, mesmo sem provas suficientes. O problema é que isso não corresponde ao direito. O juiz não tem que ficar ao lado da opinião pública.

É bom observar que Roxin falou em tese. Não se referia ao mensalão, mas à ideia geral do domínio do fato.

José Dirceu discursa em defesa do mandato, em 2005

Não há, no inquérito da Polícia Federal, nenhuma prova contra Dirceu. Roberto Jefferson acusou Dirceu na CPI, na entrevista para a *Folha*, na Comissão de Ética. Mas, além de dizer que era o chefe, que comandava tudo, o que mais ele contou? Nenhum fato. Chato, não é?

Para Roxin, "a pessoa que ocupa a posição no topo de uma organização tem também que ter comandado esse fato, emitido uma ordem".

Chegaram a dizer — na base da conversa, do disse me disse — que Marcos Valério teria ajuda dele para levantar a intervenção num banco, e assim, ganhar milhões de reais. Seria a ordem? Falso. Valério foi dezessete vezes ao Banco Central para tentar fazer o negócio e voltou de mãos vazias. É desse "controle" que fala Claus Roxin?

Repito: o passado não deve livrar a cara de ninguém. Todos têm deveres e obrigações para com a lei, que deve ser igual para todos. Acho que o Procurador Roberto Gurgel tinha a obrigação de procurar provas e indícios contra cada um dos réus, e assim, apresentar sua denúncia. É esse seu dever. Acusar — às vezes exageradamente — para não descartar nenhuma possibilidade de crime e de erro.

Mas o que se vê, agora, é outra coisa. A teoria do domínio do fato foi invocada quando se viu que não era possível encontrar provas contra determinados réus. Sem ela, o pessoal faria a defesa na tribuna do Supremo e correria para o abraço. Com a noção de domínio do fato a situação se modificou. Abriu-se uma chance para a acusação provar seu ponto.

O problema: cadê a ordem de Dirceu? Quando ele a deu? Para quem?

Temos uma denúncia sem nome, sem horário, sem data. Pode?

Provou-se o que se queria provar, desde o início. A tese de que os deputados foram comprados, subornados, alugados para dar maioria ao governo no Congresso. É como se em Brasília não houvesse acordo político nem aliança — que sempre envolve partidos diferentes e até opostos.

Nessa visão, procura-se criminalizar a política.

É inacreditável.

Temos os governos mais populares da história, e nossos ministros querem nos convencer de que tudo não passou de um caso de corrupção. Chegam a sugerir que a suposta compra de votos representa um desvio na vontade do eleitor.

Precisam combinar com os russos — isto é, os eleitores, que não param de dizer que aprovam o governo.

Ninguém precisa se fazer de bobo aqui. Dirceu era o alvo político. O resultado do julgamento seria um com sua condenação. Seria outro com sua absolvição.

Só não vale, no futuro, dizer que essa decisão se baseou no clamor público. Esse argumento é ruim, lembra o mestre alemão, mas não se aplica no caso.

Tivemos um clamor publicado em editoriais e artigos de boa parte da imprensa. Mas o público ignorou o espetáculo, solenemente. Não tivemos nem passeatinha na Praça dos Três Poderes — e olhe que não faltaram ensaios e sugestões no início do julgamento...

Mesmo o esforço para combinar as primeiras condenações com as eleições não trouxe maiores efeitos. Em sua infinita e muitas vezes incompreendida sabedoria, o eleitor aprendeu a separar uma coisa da outra.

(A entrevista de Claus Roxin gerou uma polêmica na internet. Alunos do professor publicaram um artigo em que esclareciam as condições daquele depoimento às duas jornalistas. A leitura de uma entrevista anterior de Roxin mostra que seu pensamento foi traduzido fielmente. http://www.oabrj.org.br/detalheConteudo/499/Entrevista-do-jurista-alemao-Claus-Roxin-sobre-teoria-do--dominio-do-fato.html – acessado em 24/11/2012.)

Em dezembro de 2012, Câmara homenageia 173 deputados cassados pelo regime militar

CAPÍTULO 28.
PODEROSOS E "PODEROSOS" NO MENSALÃO

7h46, 16/11/2012
Paulo Moreira Leite

Num esforço para exagerar a dimensão do julgamento do Supremo, já tem gente feliz porque agora foram condenados "poderosos...".

Devagar. Você pode até estar feliz porque José Dirceu, José Genoino e outros podem ir para a cadeia e cumprir longas penas.

Eu acho lamentável porque não vi provas suficientes.

Você pode achar que elas existiam e que tudo foi expressão da Justiça.

"Poderosos?" Vai até o Butantã ver a casa do Genoino...

Poderosos sem aspas, no Brasil, não vão a julgamento, não sentam no Supremo e não explicam o que fazem. Grandes fortunas que atravessaram o mensalão ficaram de fora.

Não vamos pré-julgar. Mas vamos raciocinar.

A Polícia Federal apurou que Carla Cicco, principal executiva da Brasil Telecom durante o período de Daniel Dantas, chegou a assinar vários contratos com as agências de Marcos Valério. A Polícia Federal avalia que a empresa queria fazer um gesto de boa vontade com

HISTÓRIA AGORA

quem falava em nome do governo e encomendou uma pesquisa de mercado para a agência, no valor de R$ 3,7 milhões.

Havia outro contrato de R$ 50 milhões. Este não foi inteiramente pago. Deveria ser saldado em três prestações mensais, mas os dois últimos pagamentos foram interrompidos depois da entrevista de Roberto Jefferson à *Folha*.

As relações entre Carla Cicco e Daniel Dantas foram assim descritas no início do governo Lula:

> — Carla é uma boa executora, mas as decisões estratégicas são tomadas pelo Opportunity, diz um executivo ligado ao conselho da empresa. Dantas, numa de suas raras entrevistas, confirma: "O que é estratégico fica com a gente, mas a Carla é quem toca o dia a dia da empresa". (Reportagem de Cristiane Correa, revista *Exame*, 14/01/2003.)

Havia uma luta entre os Fundos de Pensão e o Opportunity pelo controle da Brasil Telecom, empresa que tinha 10 mil funcionários e faturamento de R$ 3,8 bilhões, volume que chegou a ser maior que o da Vale. Naquele tempo, Carla Cicco chegou a ser classificada como a 37ª mulher mais poderosa do mundo.

Num "Fato Relevante" divulgado em julho de 2005, poucas semanas depois da entrevista de Roberto Jefferson à *Folha de S. Paulo*, a Brasil Telecom admitiu ter utilizado serviços das duas agências ligadas ao esquema de Marcos Valério e Delúbio Soares. O comunicado falou em dois contratos, um no valor de R$ 3,7 milhões e outro de R$ 823 mil. O comunicado não menciona o contrato de R$ 50 milhões, cuja existência, policiais que participaram da investigação não colocaram em dúvida, recordando apenas que não tiveram sequência porque o escândalo explodiu antes.

No mesmo comunicado, a empresa informava que no final de junho "em face do envolvimento" da DNA e da SMP&B em "fatos

A OUTRA HISTÓRIA DO MENSALÃO

que são objeto de apuração da CPI" havia decidido suspender as "relações comerciais" com as agências. Nas manifestações públicas, os executivos da Brasil Telecom sempre sustentaram que buscaram as agências de Valério em busca de serviços profissionais, sem qualquer intenção de obter benefícios do governo Lula. Mais tarde, depois que Daniel Dantas e outros executivos foram presos, duas vezes, na Operação Satiagraha, este fato foi apontado como prova de que "há distorção na lógica" quando se afirma que o banqueiro esperava favores do governo. "Duas operações armadas contra o Opportunity desmentem a tese", escreveu a assessora de imprensa do grupo em carta ao blog. Os bastidores do governo Lula mostram uma situação contraditória, em que duas realidades conviveram durante certo período.

Havia uma parcela do governo interessada em obter financiamento para o PT de empresas privadas e não hesitou em procurar o próprio Daniel Dantas, conforme vários ministros admitem. Outra parcela, ligada ao titular da Secretaria de Comunicações Luiz Gushiken, queria retirar Daniel Dantas e o Opportunity da Brasil Telecom e montar uma sociedade liderada pelos Fundos de Pensão e pelo Citibank, conflito que só acabaria resolvido quando o governo decidiu entregar a empresa a outro grupo. O governo decidiu entregar a empresa a outro grupo de telecomunicação, dando origem à Oi. Antes disso acontecer, os dois lados se confrontavam de forma aberta. Os arranjos ensaiados por um dos grupos eram desfeitos pelo outro e vice-versa.

Preso duas vezes, na Satiagraha, Daniel Dantas conseguiu dois *habeas corpus* no STF.

Se houve desvio em verbas do Visanet, por que não se pediu explicação para os executivos da empresa?

Por que apenas Henrique Pizzolato foi indiciado, quando sabemos que as decisões eram tomadas por um colegiado e que ele nem era o responsável final pelos pagamentos?

José Genoíno na porta de sua casa, em São Paulo

É da tradição. Quando por azar os poderosos estão no meio de um inquérito e não dá para tirá-los de lá, as provas são anuladas e todo mundo fica feliz.

Já viu poderoso ser torturado? Genoino já foi.

Já viu poderoso ficar preso um ano inteiro sem julgamento? Isso aconteceu com Dirceu em 1968.

Já viu poderoso viver anos na clandestinidade, sem ver pai nem mãe, perder amigos e nunca mais receber notícias deles, mortos covardemente, nem onde foram enterrados? Também aconteceu com os dois.

Já viu poderoso entregar passaporte?

Já viu foto dele com retrato em cartaz de procurados, aqueles que a ditadura colocava nos aeroportos? Será que você lembrou disso depois que mandaram incluir o nome dos réus na lista de procurados?

Poderoso? Se Dirceu fosse, sem aspas, o Jefferson não teria dito o que disse. Teria se calado, de uma forma ou de outra. Teriam acertado a vida dele e tudo se resolveria sem escândalo.

Não vamos exagerar na sociologia embelezadora.

Kenneth Maxwell, historiador respeitado do Brasil colonial, compara o julgamento do mensalão ao Tribunal que julgou a inconfidência mineira. Não, a questão não é perguntar sobre Tiradentes. Mas sobre Maria I, a louca e poderosa.

Tanto lá como cá, diz Maxwell, tivemos condenações sem provas objetivas. Primeiro, a Coroa mandou todo mundo a julgamento. Depois, com uma ordem secreta, determinou que todos tivessem a vida poupada — menos Tiradentes.

Poderoso é quem faz isso. Escolhe quem vai para a forca.

"Poderoso" pode ir para a forca, quando entra em conflito e passa a representar algum perigo.

Genoino, Dirceu e os outros eram pessoas importantes — e até muito importantes — num governo que foi capaz de abrir

HISTÓRIA AGORA

uma pequena brecha num sistema de poder fechado, estabeleci-do há séculos.

(No tempo em que se achava que Lula ia fracassar porque tinha formação de torneiro mecânico, o pessoal adorava lembrar que era o primeiro "operário" a chegar ao Planalto. Era inofensivo e passageiro. Ajudava a dizer que a nossa democracia era inclusiva. Depois que se viu que era capaz de fazer acordos surpreendentes, mas que não iria governar de cabeça baixa, voltou a ser o sapo barbudo.)

O poder que Dirceu e Genoino representam é o do voto. Tem duração limitada, quatro anos, é frágil, mas é o único poder para quem não tem poder de verdade, de gerações e gerações, pessoal e intransferível, e depende de uma vontade, apenas uma: a decisão soberana do povo.

É único mas é precário, passageiro. Democrático.

O Poder, sem aspas, é capaz de malabarismos e disfarces, mas cabe aos homens de boa-fé não confundir rosto com máscara, nem decaídos com deserdados, nem banqueiros com mensageiros só porque ambos usam terno e gravata...

Poder é o que dá medo, pressiona, é absoluto.

Passa por cima de suas próprias teorias, como o domínio do fato, cujo uso é questionado até por um de seus criadores, o que já está ficando chato.

Nem Dirceu nem Genoino falam ou falaram pelo Estado brasileiro, o equivalente da Coroa portuguesa. Podem até nomear juízes, como se viu, mas não comandam as decisões da Justiça, sequer os votos daqueles que nomearam.

Imagine se, no julgamento de um poderoso, o Ministério Público aparecesse com uma teoria nova de direito, que ninguém conhece, pouca gente estudou de verdade — e resolvesse com ela pedir cadeia geral e irrestrita...

Imagine se depois o relator resolvesse dividir o julgamento de modo a provar sua tese por partes e assim evitar o debate sobre o

A OUTRA HISTÓRIA DO MENSALÃO

todo, que é a ideia de mensalão, que desse jeito "só poderia existir", "está na cara", "é tão óbvio", e assim todos são condenados, sem que o papel de muitos não seja demonstrado, nem de forma robusta nem de forma fraca...

Imagine um revisor sendo interrompido, humilhado, acusado e insinuado...

Isso não se faz com poderosos.

Não, meus amigos.

Não adianta nem lembrar o que pode acontecer com o mensalão do PSDB-MG. Justiça não é mercadoria compensatória.

O que está acontecendo em Brasília é um julgamento único, incomparável. É só perguntar o que acontecia com os brasileiros pobres nos outros governos. O que houve com o desemprego, com a distribuição de renda.

Os mensalões são iguais, mas a política é diferente.

E é por isso que um deles vai ser julgado bem longe da vista de todos...

E o outro estará para sempre em nossos olhos, mesmo quando eles se fecharem.

Eleitores em fila na Ceilândia, em 1986, quando se escolheu, no país inteiro, parlamentares que escreveram a Constituição

CAPÍTULO 29.
SÓ O POVO PODE CASSAR SEUS REPRESENTANTES

8h22, 18/11/2012
Paulo Moreira Leite

No momento em que o Supremo discute a cassação imediata do mandato de três deputados no processo do mensalão, vale a pena ler o texto abaixo. É o artigo 55 da Constituição, que define como um parlamentar perde seu mandato. Na íntegra, para não haver dúvidas, aqui está o artigo 55:

Art. 55 – Perderá o mandato o Deputado ou Senador:

I – que infringir qualquer das proibições estabelecidas no artigo anterior;

II – cujo procedimento for declarado incompatível com o decoro parlamentar;

III – que deixar de comparecer, em cada sessão legislativa, à terça parte das sessões ordinárias da Casa a que pertencer, salvo licença ou missão por esta autorizada;

IV – que perder ou tiver suspensos os direitos políticos;

V – quando o decretar a Justiça Eleitoral, nos casos previstos nesta Constituição;

VI – que sofrer condenação criminal em sentença transitada em julgado.

§ 1º – É incompatível com o decoro parlamentar, além dos casos definidos no regimento interno, o abuso das prerrogativas asseguradas a membro do Congresso Nacional ou a percepção de vantagens indevidas.

§ 2º – Nos casos dos incisos I, II e VI, a perda do mandato será decidida pela Câmara dos Deputados ou pelo Senado Federal, por voto secreto e maioria absoluta, mediante provocação da respectiva Mesa ou de partido político representado no Congresso Nacional, assegurada ampla defesa.

§ 3º – Nos casos previstos nos incisos III a V, a perda será declarada pela Mesa da Casa respectiva, de ofício ou mediante provocação de qualquer de seus membros, ou de partido político representado no Congresso Nacional, assegurada ampla defesa.

§ 4º – A renúncia de parlamentar submetido a processo que vise ou possa levar à perda do mandato, nos termos deste artigo, terá seus efeitos suspensos até as deliberações finais de que tratam os §§ 2º e 3º.

O artigo 55 torna-se particularmente interessante porque, a partir de janeiro, quando os prefeitos eleitos tomam posse, José Genoino deve assumir sua cadeira de deputado. Será, então, o quarto mandato em discussão.

Ele é suplente da bancada do PT de São Paulo e tem mandato até 2014. Pela Lei da Ficha Limpa, não poderá se candidatar no próximo pleito, já que foi condenado por um tribunal colegiado. Mas nada pode impedir Genoino de assumir sua vaga, se você ler o artigo 55 com atenção. Em 2010, ele recebeu 92.362 votos. Ou pode?

Depende. O Supremo debateu a cassação imediata dos deputados na semana passada. Como não havia consenso, o assunto foi interrompido.

Há uma discussão a respeito, embora o artigo 55 seja cristalino. Diz que em caso de "condenação criminal em sentença transitada em julgado (...) a perda do mandato será decidida pela Câmara dos Deputados por voto secreto e maioria absoluta (...) assegurada ampla defesa".

Com esses parágrafos da Constituição na mão, entrevistei Pedro Serrano, advogado de um dos grandes escritórios de São Paulo, especialista em direito constitucional e professor da PUC de São Paulo. Serrano também é um dos principais formuladores da noção de que na América Latina a jurisdição tem sido fonte, ocasionalmente, de exceção, e não de direito, como aconteceu nos casos dos golpes de Honduras e do Paraguai. Serrano tem apontado que o mensalão pode vir a se traduzir, eventualmente, num desses casos, sujeito ainda a estudo mais criterioso depois da publicação do acórdão final.

A entrevista:

PML: Debate-se, hoje, a possibilidade de o Supremo cassar o mandato de três deputados condenados no mensalão antes mesmo de a sentença ter transitado em julgado. Faz algum sentido?

Pedro Serrano: Uma decisão como essa seria inconstitucional. Está na letra da Constituição: só se pode iniciar, no Legislativo, o debate sobre perda de mandato depois que a sentença transitou em julgado. Isso quer dizer que ela, primeiro, precisa ser publicada. Depois, que a defesa precisa entrar com recursos. Em seguida, esses recursos precisam ser julgados, aceitos ou não. Só depois disso é que a discussão sobre perda de mandato poderia se colocar. Antes disso, a execução do julgamento está suspensa.

PML: Por que tantos cuidados?

Pedro Serrano: Porque a Constituição assim o determina explicitamente, qual seja que a perda do mandato só se dá pela condenação criminal transitada em julgado; ou seja, porque até a sentença do último recurso a decisão pode, em alguma medida ou extensão, ser modificada. Não haveria cabimento condenar a pessoa a uma sanção definitiva, a perda do mandato, em razão de uma decisão ainda não definitiva, ou seja, ainda pendente de recurso.

PML: A Constituição diz que, em caso de condenação criminal, a decisão sobre a perda do mandato cabe à Câmara, em caso de deputado, e ao Senado, em caso de senador. Qual era a intenção do legislador ao determinar isso?

Pedro Serrano: O que se buscou, com isso, foi garantir o equilíbrio entre os poderes. Isso distingue o poder republicano do poder imperial. Num caso, temos a separação entre poderes. Na monarquia, temos a centralização das funções estatais num só poder. O texto constitucional deixa claro que o poder do Congresso, neste caso, não é um poder declaratório, mas um poder de conteúdo, constitutivo. Cassar o mandato é prerrogativa da Câmara, no caso de deputado, e do Senado, em caso de senador. É a forma que a Constituição encontra de defesa da soberania popular.

PML: Vamos supor que o Congresso não concorde com a cassação. É possível, já que a bancada do governo tem maioria na casa. Poderíamos avançar para uma situação de conflito de poderes?

Pedro Serrano: É isso que se procura evitar. O Supremo tem o dever de julgar cidadãos, parlamentares ou não, podendo condená-los, tecnicamente, aplicando a lei penal ao caso concreto. Mas o Congresso tem a responsabilidade de defender o mandato popular. Os deputados e senadores são responsáveis pela defesa política da soberania do povo.

PML: O senhor está dizendo que seria um novo julgamento?

Pedro Serrano: Não em termos jurídico-penais. Mas seria um juízo político feito pela Casa Legislativa, pois incidiria sobre o exercício do mandato político outorgado pelo povo e que só pode ser cassado por seus representantes. Não por acaso, a Constituição exige que, para cassar um mandato, é necessário assegurar "ampla defesa" ao réu. Isso quer dizer que será preciso fazer um processo e que o acusado pode constituir advogado, produzir provas etc. A Constituição diz, ainda, que a perda de mandato será resolvida por maioria absoluta e pelo voto secreto. Não vejo outra saída no plano constitucional, está no texto de nossa Carta.

Cláudio Mourão, tesoureiro da campanha do PSDB de Minas em 1998, cumprimenta o senador Arthur Virgílio durante depoimento à CPMI dos Correios. Ao lado, Delcídio Amaral e José Eduardo Cardozo

CAPÍTULO 30.
A ILUSÃO DO
CIPÓ DE AROEIRA

9h39, 21/11/2012
Paulo Moreira Leite

A vingança é, vamos combinar, um dos mais intensos prazeres da existência humana.

Compreendo, portanto, o alvoroço de muitas pessoas que, decepcionadas com o julgamento do Valúbio, esfregam as mãos à espera do mensalão do Vazeredo.

Supondo que, mesmo desmembrados, os réus do mensalão do PSDB-MG recebam o mesmo tratamento daquele dispensado ao Valúbio, não vejo motivo para comemorar.

Também não se deve pensar que no mensalão do PSDB-MG haverá uma volta do Cipó de Aroeira, como dizia aquela música de Geraldo Vandré.

Engano.

Não se trata de uma guerra de propaganda.

Do Chico Anysio dizendo: "sou... mas quem não é?".

Bobagem pensar em justiça compensatória.

Não há José Dirceu, nem José Genoino nem tantos outros que eles simbolizam no mensalão do PSDB-MG. Se houvesse, não seria o caso. Porque seria torcer pela repetição do erro. E isso não é bom para a Justiça nem para a democracia.

HISTÓRIA AGORA

Essa dificuldade mostra como é grave o que se faz em Brasília. Sem ilusões.

O julgamento que se encerra em Brasília foi flexível na aceitação de provas. Esteve longe de demonstrar a "compra de votos", tese principal da acusação e do relator.

Até o momento, todo esforço para valorizar o mensalão do PSDB--MG só ajuda a quem pretende minimizar o que aconteceu no STF.

Não critico, obviamente, quem foi condenado com provas claras e robustas. Condeno as sentenças com base no "é plausível", "não é possível", "todo mundo sabe" e assim por diante. Muitas provas foram demonstradas no grito e não com base numa exposição paciente e completa de fatos.

Como corruptos não confessam, a negativa dos acusados passou a ser considerada como prova de que estavam mentindo.

Às vezes, deveriam estar. Outras, talvez não. Mas a prova cabe à acusação, certo?

A soma de dois erros não faz um acerto. Só complica mais a coisa.

A coisa é a criminalização da política no Brasil.

Estive no mais recente encontro da Federação Nacional de Prefeitos, ontem, em Vitória, e posso testemunhar. Na base da sociedade, que é o município, a situação é grave e complicada.

Participando de um debate com quarenta prefeitos de cidades de porte médio, ouvi a denúncia de que vivem uma situação de cerco judicial permanente.

Claro que temos, nas prefeituras, os mesmos índices de delinquência que encontramos na sociedade brasileira — seja entre médicos, empresários, e até juízes, não é mesmo?

Mas o fato é que um prefeito denunciou que foi proibido de seguir um programa de distribuição de livros didáticos em escolas municipais porque aquilo não correspondia à visão "do Ministério Público" sobre suas obrigações em relação à educação da cidade. Outro denunciou que recebeu uma multa de R$ 2 milhões por causa de mudanças que fez no sistema de saúde pública da cidade. Detalhe: enquanto não revertesse as mudanças, seria obrigado a pagar R$ 5.000 por dia de multa. Tudo com dinheiro de seu bolso, pois era uma ação contra ele, prefeito, e não contra a administração. Numa terceira cidade, o prefeito teve sua casa invadida às 5 da manhã quando se divulgou que pretendia comprar um terreno vizinho aos seus. Em clima de SWAT, os policiais perguntavam onde estavam os euros, os dólares etc...

Não tenho a menor condição de julgar cada um desses fatos. Publico o que foi colocado no plenário, por autoridades eleitas, que têm a responsabilidade de conduzir a vida de milhares de brasileiros naquele ambiente decisivo, que é a cidade onde vivem com suas famílias. O importante, aqui, não reside em cada um dos casos, mas no conjunto.

Pode parecer estranho, mas é o mesmo problema.

Estamos falando do enfraquecimento da democracia pela criminalização da política. A Constituição brasileira diz em seu artigo 1º que "todo poder emana do povo, que o exerce através de representantes eleitos".

Isso quer dizer que os prefeitos devem prestar contas ao eleitorado, de quatro em quatro anos. Salvo casos criminais, comprovados, investigados e punidos de acordo com ritos democráticos, é difícil compreender por que a vontade do eleitor não deve ser respeitada.

Quem tem razão é André Singer. Constatada a condenação errada de José Dirceu, ele pede a revisão de sua sentença. Eu acho que essa solução se impõe, também, a outros réus, a começar por José Genoino, condenado porque assinou pedidos de empréstimos que a Polícia Federal diz que eram autênticos.

O debate é este.

© Lula Marques/Folhapress

CONSTITUIÇÃO
REPÚBLICA FEDERATIVA DO BRASIL
1988

Ulysses Guimarães
ergue a Constituição
após sua aprovação
pelo Congresso
Constituinte

CAPÍTULO 31.
O RISCO DE BRINCAR COM A CONSTITUIÇÃO

21h35, 21/11/2012

Paulo Moreira Leite

Começo a ficar preocupado com determinados argumentos de quem pretende cassar o mandato dos deputados sem cumprir o ritual constitucional — pelo menos.

Parece aquele truque do sujeito esperto demais que quer se fazer de bobo para ver se os outros não percebem aonde quer chegar...

O truque é dizer que a Lei Maior é confusa. E como tem acontecido recentemente, chamamos o Supremo para resolver a confusão. Embora se possa até prever o resultado, a questão é saber a natureza desse procedimento.

Pergunto para qualquer cidadão se há alguma ambiguidade nos parágrafos abaixo:

Diz o artigo 15 da Constituição:

Art. 15 — É vedada a cassação de direitos políticos, cuja perda ou suspensão só se dará nos casos de:

I — cancelamento da naturalização por sentença transitada em julgado;

II – incapacidade civil absoluta;

III – condenação criminal transitada em julgado, enquanto durarem seus efeitos;

IV – recusa de cumprir obrigação a todos imposta ou prestação alternativa, nos termos do art. 5º, VIII;

V – improbidade administrativa, nos termos do art. 37, § 4º.

Já o artigo 55 da Constituição diz como é esse processo:

Art. 55 – Perderá o mandato o Deputado ou Senador:

I – que infringir qualquer das proibições estabelecidas no artigo anterior;

II – cujo procedimento for declarado incompatível com o decoro parlamentar;

III – que deixar de comparecer, em cada sessão legislativa, à terça parte das sessões ordinárias da Casa a que pertencer, salvo licença ou missão por esta autorizada;

IV – que perder ou tiver suspensos os direitos políticos;

V – quando o decretar a Justiça Eleitoral, nos casos previstos nesta Constituição;

VI – que sofrer condenação criminal em sentença transitada em julgado.

§ 1º – É incompatível com o decoro parlamentar, além dos casos definidos no regimento interno, o abuso das prerrogativas asseguradas a membro do Congresso Nacional ou a percepção de vantagens indevidas.

§ 2º – Nos casos dos incisos I, II e VI, a perda do mandato será decidida pela Câmara dos Deputados ou pelo Senado Federal, por voto secreto e maioria absoluta, mediante provocação da respectiva Mesa ou de partido político representado no Congresso Nacional, assegurada ampla defesa.

§ 3º – Nos casos previstos nos incisos III a V, a perda será declarada pela Mesa da Casa respectiva, de ofício ou mediante provocação de qualquer de seus membros, ou de partido político representado no Congresso Nacional, assegurada ampla defesa.

§ 4º – A renúncia de parlamentar submetido a processo que vise ou possa levar à perda do mandato, nos termos deste artigo, terá seus efeitos suspensos até as deliberações finais de que tratam os §§ 2º e 3º. (Incluído pela Emenda Constitucional de Revisão nº 6, de 1994.)

Não sou advogado. Era editor de política em 1988, quando Ulysses Guimarães liderou a Constituição cidadã. O país saía da ditadura militar e escreveu uma Constituição para proteger os direitos do povo e a soberania da nação. Um dos principais cuidados envolvia a preservação de mandatos parlamentares, pois, como nós sabemos, o regime militar adorava fazer contas de chegar ao Congresso.

Sempre que a oposição ameaçava ganhar espaço, descobria-se um caso de "subversão" para cassar alguém. Ocorreram cassações individuais. Mas ditadura gosta de listas. Começou no primeiro dia do golpe e não parou mais. Políticos de oposição, como Rubens

Paiva, que seria sequestrado, torturado e morto, e até hoje seu corpo se encontra desaparecido, foi um dos primeiros a perder o mandato. Vários outros vieram a seguir. Ou porque pertenciam a organizações de esquerda, ou porque haviam feito um pronunciamento mais duro ou simplesmente porque a ditadura queria exercer o direito de cassar mandatos, fechar o Congresso e assim por diante.

Traumatizados com o passado, nossos constituintes fizeram questão de afirmar, no texto de 1988, o princípio geral de que a cassação de mandatos não é uma coisa boa para o país. A ideia é que deveria ser evitada, pois era um gesto de ditadura.

Note que a primeira frase do artigo 15 é: "É vedada a cassação de direitos políticos". É este o "espírito" da lei, pode explicar um advogado. Em princípio, cassar mandato é ruim.

Com essa ideia na cabeça, no artigo 55 explicaram quem pode perder o mandato, em quais circunstâncias. Não queriam interferências externas nesse assunto tão dolorosamente sério como a soberania popular.

O nome do STF não é mencionado nem como um lugar para alguém entrar com recurso. Salvo em caso de crimes eleitorais, quem decide é o Congresso. A Câmara, no caso de deputados. O Senado, para senadores. É preciso assegurar ampla defesa, e a votação deve ser secreta, por maioria absoluta. A mensagem é: só os representantes do povo podem destituir um representante do povo. Outro caso é o da Justiça eleitoral, encarregada de zelar pelas leis eleitorais. É coerente, mais uma vez, com a vontade de proteger a vontade soberana da população. Mas, em todo caso, nenhum réu foi condenado por crime eleitoral, certo?

Qual é a dúvida? A confusão? A ambiguidade?

Nenhuma. Há algo para ser "interpretado"?

Faça um teste: leia os dois artigos para um amigo e pergunte o que ele entendeu. Pergunte se ele acha que os constituintes queriam que o Supremo pudesse cassar parlamentares.

Mas há confusão, ambiguidade e dúvida em outro ponto. É no respeito às normas da democracia. No respeito à Constituição. Essa discussão só ocorre porque algumas pessoas começam a lançar dúvidas perigosas a respeito disso.

Algumas pessoas acham que não fica bem, por exemplo, um deputado condenado preservar seus direitos políticos. E se ele tiver de ir para a prisão, como fica?

Não "fica bem"? Então se saiu de uma ditadura para que alguns analistas da subjetividade nos expliquem que algumas coisas não "ficam bem" e outras "ficam bem". Não é uma questão de boas maneiras, aquela maravilhosa arte da convivência humana ensinada por mestre Marcelino de Carvalho, um senhor tão elegante que vestia ternos príncipe de Gales até no programa da Hebe Camargo e deixou receitas infalíveis de um bom martini.

Os legisladores — que elaboram as leis — deixaram claro quem deveria fazer o quê. Não é etiqueta. É democracia. Esse é o manual que deve ser cumprido.

O que não fica bem é atropelar a Constituição. Isso é que fica mal. Muito mal.

Não é uma questão de gosto. É aquela vontade de não se submeter a um ritual definido e predeterminado, amparado em lei, que todos devem respeitar. Muita gente está gostando de um Supremo que parece poder fazer tudo.

Não por acaso, são aquelas pessoas que desde 2002 só conhecem derrota atrás de derrota nas urnas. Em 2012, ficaram com um pouquinho mais de raiva porque perderam o altar sagrado da prefeitura de São Paulo, o que deixa o pessoal ainda mais preocupado com a possibilidade de perder de novo em 2014. Já pensou perder de novo? Puxa, esse povo ganhava desde a chegada de Pedro Álvares Cabral... Então, com o Supremo, estão se animando.

Essas pessoas adoram lembrar que em seus oito anos de mandato Lula fez oito nomeações para o STF. Nem todos votaram ao mesmo tempo, mas eles têm um peso importante no plenário atual. Esse fato deveria ajudar os adversários do governo a reconhecer que Lula não usou critérios aparelhados e nem partidários em suas escolhas, ao contrário do que sempre se disse. Quem dizia que ele não respeitava a autonomia entre poderes? Hoje, os adversários do governo respaldam o Supremo.

O fato de ministros nomeados pelo governo do PT assinarem sentenças desfavoráveis ao governo torna a decisão mais justa, mais correta? Não necessariamente. É preciso avaliar objetivamente, evitando maniqueísmos. Até os paraguaios, quando quiseram se livrar de um presidente eleito, fingiram um pouco mais.

Apresentaram a denúncia ao Congresso e deram duas horas para Fernando Lugo se defender. A acusação era tão falsa como aqueles uísques da década de 1960 que todo pai de família de classe média importava de Assunção. Mas, pelo menos, fingiu-se respeitar um ritual. Esse tipo de respeito é necessário. Evita querelas internacionais, denúncias na OEA e outras dores de cabeça que Washington não gosta de enfrentar a não ser em casos extremos. Topa até reescrever a própria história, como fez em Honduras, quando mudou de lado quando isso se mostrou conveniente. Não deu muito certo em Assunção porque o Brasil reagiu com presteza, mas a Casa Branca logo se alinhou com o "presidente".

Aqui, nem isso se quer fazer. Possivelmente porque não há maioria, como houve no Congresso paraguaio e também em Brasília para cassar Dirceu em 2005, com o argumento de que havia ferido o "decoro". Não vamos esquecer. Houve um acordo há sete anos porque se esperava que a cassação de Dirceu (e Roberto Jefferson) seria capaz de aliviar a crise. Até o PT entrou no jogo, por baixo do pano.

Mas, e agora, em 2012? A bancada governista vai aceitar o domínio de fato — e não do fato — assim, numa boa? Vai bater palmas, sorrir amarelo e fingir que não está vendo nada, nem ouvindo nada? Ninguém sabe.

A OUTRA HISTÓRIA DO MENSALÃO

Estamos falando de três deputados. Quem sabe, quatro.

Não se iluda. A experiência ensina: é muito fácil saber como esses jogos começam — e ninguém consegue adivinhar como terminam.

Podem terminar mal. Ou muito mal. Apenas isso.

Marco Maia, presidente da Câmara, defende as prerrogativas do Congresso, em dezembro de 2012

CAPÍTULO 32.
ARTIGO 55 E DEMOCRACIA

8h12, 30/11/2012
Paulo Moreira Leite

O deputado Marco Maia, presidente da Câmara, acaba de reafirmar uma verdade simples: o direito de cassar mandato de parlamentares pertence ao Congresso. O deputado está certíssimo e merece aplauso.

Embora tenha discutido causas até difíceis durante o processo do mensalão, o debate no Supremo Tribunal Federal parece emaranhado em confusões desnecessárias quando se discute a cassação do mandato dos parlamentares condenados.

A Constituição é clara. Diz em seu artigo 55 que cabe ao Congresso cassar o mandato dos parlamentares, por maioria absoluta, pelo voto direto e secreto.

Está lá, e repito aqui, pela terceira vez para ninguém ter o direito de dizer que não conhece o texto:

Art. 55. Perderá o mandato o Deputado ou Senador:

I – que infringir qualquer das proibições estabelecidas no artigo anterior;

II – cujo procedimento for declarado incompatível com o decoro parlamentar;

III – que deixar de comparecer, em cada sessão legislativa, à terça parte das sessões ordinárias da Casa a que pertencer, salvo licença ou missão por esta autorizada;

IV – que perder ou tiver suspensos os direitos políticos;

V – quando o decretar a Justiça Eleitoral, nos casos previstos nesta Constituição;

VI – que sofrer condenação criminal em sentença transitada em julgado.

§ 1º – É incompatível com o decoro parlamentar, além dos casos definidos no regimento interno, o abuso das prerrogativas asseguradas a membro do Congresso Nacional ou a percepção de vantagens indevidas.

§ 2º – Nos casos dos incisos I, II e VI, a perda do mandato será decidida pela Câmara dos Deputados ou pelo Senado Federal, por voto secreto e maioria absoluta, mediante provocação da respectiva Mesa ou de partido político representado no Congresso Nacional, assegurada ampla defesa.

§ 3º – Nos casos previstos nos incisos III a V, a perda será declarada pela Mesa da Casa respectiva, de ofício ou mediante provocação de qualquer de seus membros, ou de partido político representado no Congresso Nacional, assegurada ampla defesa.

A OUTRA HISTÓRIA DO MENSALÃO

§ 4º A renúncia de parlamentar submetido a processo que vise ou possa levar à perda do mandato, nos termos deste artigo, terá seus efeitos suspensos até as deliberações finais de que tratam os §§ 2º e 3º. (Incluído pela Emenda Constitucional de Revisão nº 6, de 1994.)

Este artigo foi aprovado por uma maioria de 407 votos na Constituinte de 1988, eleita por 69 milhões de brasileiros, dois anos antes. (O plenário reunia 559 votos, entre deputados e senadores.)

Deputado Federal que depois se tornaria presidente do Supremo, onde chegou por indicação de FHC, Nelson Jobim explicou, na época, qual seria o efeito de deixar para os tribunais o direito de cassar um parlamentar, lembra reportagem publicada no *O Estado de S. Paulo* de hoje:

"Teríamos a seguinte hipótese absurda: um deputado ou um senador que viesse a ser condenado por acidente de trânsito teria imediatamente, como consequência da condenação, a perda do seu mandato, porque a perda do mandato é pena acessória à condenação criminal."

Se houvesse ambiguidade no texto, a discussão ainda seria aceitável. Mas o artigo 55 é claríssimo, como recorda um editorial da *Folha*. Transcrevo:

"À primeira vista, a proteção dada aos legisladores federais pode parecer um privilégio descabido e até paradoxal. Por que mereceriam tratamento especial? Ademais, como aceitar que um parlamentar mantenha seu cargo quando a Justiça determinou sua prisão?

A prerrogativa, todavia, tem razão de ser. Sua função é assegurar o equilíbrio entre os Poderes, preservando o Legislativo de abusos do Judiciário. Se hoje a hipótese soa exagerada, não o foi num passado recente — e poderia voltar a ocorrer no futuro."

O jornal adverte, ainda, para o risco de uma ação arbitrária. Leia:

"O constituinte foi zeloso ao delimitar a independência dos Poderes. Sem tais mecanismos, como evitar que, algum dia, um STF enviesado e arbitrário — diferente do atual, portanto — venha a cassar oposicionistas?"

Outro argumento é que, no segundo semestre de 2011, o mesmo STF reconheceu quem tinha a prerrogativa de cassar mandato:

"Longe dos clamores do mensalão, diversos ministros do Supremo já se pronunciaram a favor dessa prerrogativa exclusiva do Congresso. A última vez que o fizeram foi em setembro do ano passado. Mais que puro casuísmo, mudar o entendimento agora seria uma interferência indevida do Judiciário." (*Folha de S.Paulo*, 25/11/2012.)

Outro ponto a reparar é que o Supremo pretende debater a questão na semana que vem.

Ocorre que a Constituição só autoriza a cassação depois que o processo tenha "transitado em julgado". Isso quer dizer que é preciso aguardar pela publicação da sentença, pela apresentação de recursos e pelo exame dos recursos.

Estamos longe disso, como se sabe, o que torna este debate também precipitado. Não vamos admitir sequer a hipótese teórica de um recurso ser acolhido?

Leio nos jornais que um dos ministros do STF, favorável à cassação pelo Tribunal, argumenta que a Constituição é aquilo que o Supremo diz que ela é.

Data venia, não é possível concordar. O artigo 55 é de uma clareza ímpar. Foi escrito por parlamentares eleitos em 1986.

Não acho que um STF imaginário teria direito, por exemplo, a decisões como revogar o voto direto para escolha de presidente ou mudar o idioma nacional para inglês, contrariando o artigo 13 que diz que é a língua portuguesa.

Em 1964, o Supremo deu respaldo ao golpe militar que derrubou João Goulart, aceitando a tese oposicionista de que ele abandonara a Presidência e deixara o país — o movimento nada tinha de Constitucional.

A OUTRA HISTÓRIA DO MENSALÃO

Em 1969, o Supremo também engoliu em seco as cassações de três ministros: Vitor Nunes Leal, Hermes Lima e Evandro Lins e Silva, aposentados pelo AI-5.

Era isso que era a Constituição?

Os historiadores e homens do futuro nos ajudarão a entender todas as razões que levaram o Supremo a tomar tantas decisões controvertidas no julgamento do mensalão. É possível que muitas causas sejam bem explicadas e outras se revelem medidas erradas.

Mas o debate sobre o artigo 55 não diz respeito ao futuro, mas ao presente.

Você pode até considerar, como tantas pessoas, que o Congresso tem o dever de cassar o mandato dos deputados que o Supremo condenou.

Pode escrever para seu parlamentar pedindo que faça isso e declare a posição publicamente, já que o voto é secreto. Pode infernizar sua caixa de *e-mails* e transformar o gabinete num filme de terror. Pode até começar a organizar sua caravana para o dia em que isso for debatido. Eu acho que será democrático e muito saudável.

Só não pode pedir a um deputado para abrir mão de um dever que a Constituição lhe atribuiu. Sabe por quê?

Porque os parlamentares só estão sentados no Congresso, em Brasília, porque os brasileiros votaram neles. Eles não falam por si, mas pela população brasileira.

Em 2010, mais de 100 milhões de eleitores escolheram deputados e senadores da atual legislatura. São apenas eles que podem cassar o mandato de um representante do povo, medida tão extrema e tão rara, que o artigo 15 da Constituição chega a dizer que é "vedada a cassação de direitos políticos", para reforçar seu caráter excepcional.

Sabe por quê?

Porque, acima de tudo, a Constituição em vigor preza a separação entre os poderes, base da democracia. Essa separação é tão rígida, que o artigo fala em "poderes independentes".

295

"Marcha da Família com Deus pela Liberdade", realizada na Praça da Sé contra o governo de João Goulart

CAPÍTULO 33.
MARCHADEIRAS DO RETROCESSO

7h29, 10/12/2012
Paulo Moreira Leite

Em 1964, havia as marchadeiras do golpe militar. Eram aquelas senhoras que, de terço na mão, foram às ruas para denunciar a corrupção e a subversão, acreditando que iriam salvar a democracia.

Só ajudaram a instalar uma ditadura militar que o país até hoje não esqueceu.

Em 2012, temos uma marcha do retrocesso. Não há um golpe de Estado à vista.

Mas temos homens e mulheres em campanha para que o Supremo passe por cima do artigo 55 da Constituição e casse o mandato de três parlamentares condenados pelo mensalão.

Este número deve chegar a quatro em janeiro do ano que vem, quando José Genoino deve assumir uma vaga como suplente.

A lei diz que, para cassar o mandato de um parlamentar, é preciso que a medida seja aprovada na Câmara ou no Senado, por maioria absoluta, em votação secreta, após ampla defesa.

Em vez de procurar votos no Congresso, como é obrigado a fazer todo cidadão interessado em mudanças de seu interesse, as novas marchadeiras querem uma cassação na marra.

Ex-presidente da República, Fernando Collor de Mello (d), durante depoimento ao ministro Ilmar Galvão. Condenado pelo Congresso, Collor foi absolvido pelo Supremo

Assim: o STF manda e o Congresso cumpre — mesmo que a Constituição diga outra coisa.

A desculpa é que estão preocupados com o decoro. Acham feio pensar que um deputado condenado a cumprir pena em regime fechado conserve suas prerrogativas de parlamentar. Concordo que é estranho. Muita gente acha que proibir o país de fabricar uma bomba atômica é estranho, quando tantos países fazem isso.

Mas está lá na Constituição. Muita gente acha que os índios e os negros não deveriam ter suas terras nem seus quilombos. Mas está lá.

Falta de decoro, que é sinônimo de falta de vergonha, de honradez, como diz o Houaiss, é defender que se desrespeite a Constituição.

Mas marchadeiros e marchadeiras são assim.

Não custa lembrar que o debate sobre a perda de mandatos tem poucas consequências práticas.

Mesmo que a Câmara, cumprindo uma prerrogativa que a Constituição lhe oferece, resolva preservar seus mandatos, eles nem sequer poderão voltar às urnas em 2014. Já estarão enquadrados na Lei da Ficha Limpa. O que se discute, acima de tudo, é um direito.

É isso que se pode atingir.

HISTÓRIA AGORA

Só é possível considerar "vergonhoso" que a Câmara queira definir o destino de seus membros quando se questionar um princípio: apenas representantes eleitos pelo povo podem definir a perda do mandato de um representante eleito. Foi essa a grande lição de um país que saía de uma ditadura, iniciada em 1964 com a promessa de que iria salvar a democracia.

É uma regra coerente com a noção de soberania popular, de que todos os poderes emanam do povo "que o exerce através de representantes eleitos". (Está lá, justamente no artigo 1º.)

Não há motivo para diminuir os parlamentares, cortar seus poderes e atribuições. Isso só contribui para enfraquecer a democracia. Quem está interessado nisso?

Como recorda o deputado Marco Maia, em artigo publicado hoje na *Folha de S. Paulo*, o artigo 55 nasceu numa votação ampla e plural. Fernando Henrique Cardoso e Luiz Inácio Lula da Silva votaram a favor.

Aécio Neves, apontado por FHC como candidato para 2014, também. Delfim Netto, que ainda exibia a coroa de *tzar* do milagre brasileiro da ditadura, também.

Isso quer dizer que havia um consenso político a respeito. Não se discutia o motivo das cassações passadas. A imensa maioria dos casos envolvia perseguição política notória. Mas havia corruptos de verdade entre aqueles que perderam o mandato. Teve um governador do Paraná que foi afastado depois de ser gravado quando confessava um pedido de propina. Um dos maiores empreiteiros do país encomendou o flagrante.

A fita com a gravação chegou ao Planalto e ele foi "degolado".

Os constituintes se encarregaram de definir um ritual democrático para garantir o cumprimento da lei em qualquer caso. Não se queria uma democracia em regras vagas e pouco claras, permitindo atos arbitrários.

Ao contrário do que ocorre numa ditadura, quando o governo improvisa soluções ao sabor das conveniências e a Constituição é um enfeite para fazer discurso na ONU, numa democracia existem normas que devem ser cumpridas por todos.

Isso permitiu que, em 1992, o Congresso tivesse retirado os direitos políticos do mesmo Fernando Collor que, com base nas mesmas acusações, acabou absolvido pelo Supremo por falta de provas válidas. Era contraditório? Claro que era.

Mas era o que precisava ser feito, em nome da separação entre poderes. Coube ao Congresso fazer o julgamento político de Collor. Ao Supremo, coube o julgamento criminal. Com exceção de Collor, todos se conformaram. Ninguém falou que era um "vexame".

No mais prolongado período de liberdades de nossa história moderna, o Brasil aprendeu que a única forma de livrar-se de uma lei que se considera errada é apresentar um projeto de mudança constitucional, reunir votos e ir à luta no Congresso.

Vários artigos da Carta de 1988 foram reformados, emendados e até extintos de lá para cá. Quem acha que o artigo 55 está errado, pode seguir o exemplo e tentar modificá-lo. Vamos lembrar quantas mudanças foram feitas nos últimos anos. Mudou-se o caráter de empresa nacional, permitiu-se a reeleição para mandatos executivos. As privatizações foram aprovadas.

O caminho democrático é este.

Quem quiser mudar as regras de perda de mandato dos deputados, só precisa reunir uma maioria de votos, no Congresso. Se conseguir, leva. Se não conseguir, paciência.

© Ronaldo de Oliveira/CB/D.A Press.

Ministra Rosa Weber, durante o julgamento
dos envolvidos no escândalo do Mensalão,
no Supremo Tribunal Federal - STF

CAPÍTULO 34.
STF E O PODER MODERADOR DE PEDRO I

20h13, 12/12/2012
Paulo Moreira Leite

Imagino que a gripe de Celso de Mello possa inspirar, em todos, dentro e fora de Brasília, reflexões mais sagazes sobre o ato final do mensalão — o destino dos parlamentares condenados. Não há dúvida de que eles irão cumprir a pena que lhes foi designada, por mais injusta que lhes pareça.

Só é feio insistir que sejam conduzidos para prisão, imediatamente, sem que o processo tenha transitado em julgado e todos os recursos venham a ser examinados e considerados.

Mas acho ainda mais espantoso que se possa ter dúvida sobre a cassação de mandatos.

O artigo 55 da Constituição define como os parlamentares podem perder o mandato. Lá, está escrito de maneira explícita, de forma coerente com o artigo 1º, que explica que todo poder será exercido em nome do povo, "através de seus representantes eleitos", como lembrou muito bem Rosa Weber, num voto histórico.

Não há dúvida.

Há vontade de criar uma dúvida. Alega-se que é incongruente um parlamentar ser condenado à pena de prisão e manter o mandato. Calma! Do ponto de vista da Constituição, estamos apressando o debate.

Há uma etapa anterior que ainda não foi cumprida.

O artigo 55 diz que o Congresso é que tem a palavra final sobre o mandato. Nunca se fala em "cassação", palavra que causa repugnância entre os constituintes. Fala-se em "perda" do mandato. Isso não é uma formalidade. A decisão deve ser submetida a voto secreto, e só será aprovada por maioria absoluta. Aí, o sujeito perde o mandato.

Só teremos uma situação incoerente entre o Supremo e o Congresso se acontecerem dois eventos:

a) os condenados forem julgados pelo Congresso; b) se forem absolvidos.

Caso venham a ser condenados, não há problema algum.

Se forem absolvidos pelo Congresso e tiverem de cumprir pena, teremos uma situação transitória, que irá durar, no máximo, alguns meses: deputados com mandato e ao mesmo tempo na cadeia.

Pode ser estranho, inesperado, imprevisto.

Mas Adam Przeworski, pensador que refletiu sobre a democracia em nosso século, em que as maiorias procuram definir os rumos do Estado, ensina: "Amas a incerteza e serás democrático."

Nascido na Polônia sob o comunismo, com estudos importantes sobre o Estado do Bem-Estar e o capitalismo, Przeworski descreve a democracia como um regime de compromisso entre forças diferentes e explica porque é um regime particular: "raro porque requer compromisso entre as classes e instável exatamente por isso". ("Ama a incerteza e serás democrático", *Novos Estudos*, CEBRAP, julho de 1984.)

Pense na alternativa. É passar por cima de um artigo da Constituição.

Pergunto o que é mesmo grave. O que representa riscos para a democracia?

A OUTRA HISTÓRIA DO MENSALÃO

O problema real, que não se quer confessar, é o seguinte. Tem gente querendo criar um poder moderador, acima da Constituição.

Explico. Depois de condenar os réus do mensalão, não se admite sequer a hipótese de que os deputados possam ser absolvidos pelo Congresso. Compreendo essa visão.

Tenho certeza de que muitos brasileiros pensam assim.

Mas o artigo 55 diz que são os representantes eleitos pelo povo que têm o poder de extinguir o mandato de outro representante eleito. Não há outra interpretação.

Muita gente diz e escreve que o deputado Marco Maia "está criando problemas" quando afirma que o Congresso "não abre mão" de seus direitos. Quem está criando problema não é o deputado, porém. É quem não quer respeitar o artigo 55.

Se há um poder supremo, nesta matéria, é o Congresso. Quem está criando caso é quem não quer cumprir essa determinação, descrita com todas as letras, vírgulas, pontos, parágrafos, no artigo 55. (Na dúvida, consulte o google ou notas anteriores deste blog.)

Muitas pessoas falam no Supremo como se ele fosse um poder "supremo". Mas isso havia na Carta de 1824, imposta por Pedro I, que criava o Poder Moderador. Não era a Justiça. Era o próprio imperador.

Nem é preciso lembrar que era um regime que não separava a Igreja do Estado, em que o voto era limitado às pessoas de posse.

Convém não esquecer: conforme esta Constituição, os cidadãos estavam divididos em dois tipos. Aqueles que eram humanos. E aqueles que eram coisas. Os primeiros eram livres. Os outros, os escravos.

Felizmente, vieram outras Constituições, que criaram homens com direitos iguais, que nem sempre são cumpridos. Mas vamos chegar lá. A de 1988, que refletiu as dores de uma ditadura que cassou deputados e também mandou que o Supremo, submetido, fizesse o serviço, deixou a questão para o Congresso. Convém respeitá-la.

Agressão orquestrada a Genoíno: fatos que deveriam ser vistos como estranhos e escandalosos podem se tornar naturais

CAPÍTULO 35.
STF E O RISCO DE BANALIZAR O MAL

7h15, 15/12/2012
Paulo Moreira Leite

Estou espantado diante da naturalidade com que se debate a possibilidade de o Supremo decidir a perda do mandato de 3 deputados condenados pelo mensalão. Parece a coisa mais natural do mundo. Uma questão de opinião.

José Genoino, um suplente de mais de 90 mil votos, também pode perder seus direitos. Como os demais, seu mandato vai até 2014.

Não é normal.

Está lá, no artigo 55 da Constituição que, após ampla defesa, por maioria absoluta, cabe ao Congresso decidir o que acontece com o mandato dos parlamentares. A Câmara resolve, no caso dos deputados. O Senado, quando se trata de senadores.

É tão claro como o artigo que define o voto direto para presidente ou o caráter federativo da República.

É ainda mais curioso que se queira também queimar uma outra etapa, cassando os deputados antes mesmo que os recursos tenham sido julgados. Aliás: as sentenças não foram escritas nem sequer publicadas.

Isso não é uma formalidade. Na hora de redigir uma sentença, pode-se descobrir uma incongruência e mesmo uma incorreção. Uma coisa é a frase oral. Outra, o texto escrito.

É uma garantia da acusação, de que terá seus motivos bem explicados e compreendidos.

Também é uma garantia para a defesa, que pode ter motivos claros e bem definidos para enfrentar.

Por fim, e mais importante: é uma garantia para a democracia, pois assegura a transparência da Justiça. Qualquer cidadão, a qualquer momento, pode saber exatamente por que uma pessoa foi condenada e outra, absolvida.

O Procurador Roberto Gurgel voltou a insistir para que o Supremo decrete a prisão imediata dos condenados. Gurgel já havia recolhido seus passaportes e colocado seus nomes na lista de pessoas que não podem deixar o país.

Referindo-se ao plano de prisão imediata, o constitucionalista Pedro Serrano, professor da PUC de São Paulo, afirma: "É um absurdo." O professor lembra a necessidade de se cumprir um ritual indispensável: "Ninguém pode ser preso sem que todos os recursos sejam julgados e respondidos."

O risco é habituar o país a golpes arbitrários — mesmo pequenos — contra a democracia. Fatos que deveriam ser vistos como estranhos e até escandalosos passam a ser vistos como naturais A ideia é aceitar que nem sempre os direitos do cidadão precisam ser respeitados e que a Justiça é a principal garantia que ele possui.

O nome disso, ensinou Hannah Arendt, é banalização do mal.

Ela é obtida quando as consciências são anestesiadas.

Estamos assistindo à banalização de ataques contra cidadãos que, lamentavelmente ou não, receberam o voto popular em 2010.

Num país horrorizado com a impunidade e a corrupção, que são problemas reais, a serem enfrentados e combatidos, este comportamento ajuda a alimentar a ira, a dar um conteúdo "exemplar", "redentor",

A OUTRA HISTÓRIA DO MENSALÃO

"simbólico" ao julgamento. São palavras que ajudam a encobrir fatos reais e questionáveis. Você fica debatendo o "significado" do fato e esquece do próprio fato.

Foi o que ocorreu no segundo turno da eleição municipal. Uma tentativa orquestrada para constranger José Genoino quando ele exercia seu direito de votar. Transformou-se num tumulto convenientemente exagerado por uma parte da imprensa.

Falar em poderoso, concretamente, é uma falsificação.

Estamos falando de pessoas que foram despossuídas do direito mais simples — a uma ampla defesa. Não foram condenadas por provas robustas nem individualizadas. Mas há uma questão democrática essencial aqui.

Candidatos apontados como réus no mensalão, à espera de julgamento, receberam o voto de milhares de brasileiros. O voto dessas pessoas não tem valor?

Não deve ser pesado, julgado, examinado, pelos representantes do povo? Eu acho que sim. E foi por esse motivo que o constituinte de 1988 não deixou a decisão para a Justiça. Trouxe para o Congresso. Na definição entre poderes, a Constituição colocou na seguinte ordem: "Legislativo, Executivo e Judiciário".

Tá vendo como é bom ter leis escritas?

Chico Pinto, deputado que foi cassado pelo STF em 1976, quando discursou contra visita de Augusto Pinochet ao país (Foto de 2005)

CAPÍTULO 36.

TODO MUNDO SABE COMO CERTOS DESASTRES TERMINAM

13h23, 15/12/2012
Paulo Moreira Leite

A descoberta de que em 1995 o ministro Celso de Mello proferiu um longo voto no qual defendia que apenas o Congresso tinha poderes para cassar o mandato de um parlamentar ilumina vários aspectos do julgamento do mensalão.

Decano do STF, em 1995 o ministro sustentou, com base no artigo 55 da Constituição, que:

> "A norma inscrita no art. 55, § 2º, da Carta Federal, enquanto preceito de direito singular, encerra uma importante garantia constitucional destinada a preservar, salvo deliberação em contrário da própria instituição parlamentar, a intangibilidade do mandato titularizado pelo membro do Congresso Nacional, impedindo, desse modo, que uma decisão emanada de outro poder (o Poder Judiciário) implique, como consequência virtual dela emergente, a suspensão dos direitos políticos e a própria perda do mandato parlamentar."

> "(...) É que o congressista, enquanto perdurar o seu mandato, só poderá ser deste excepcionalmente privado, em ocorrendo

HISTÓRIA AGORA

condenação penal transitada em julgado, por efeito exclusivo de deliberação tomada pelo voto secreto e pela maioria absoluta dos membros de sua própria Casa Legislativa."

"Não se pode perder de perspectiva, na análise da norma inscrita no art. 55, § 2º, da Constituição Federal, que esse preceito acha-se vocacionado a dispensar efetiva tutela ao exercício do mandato parlamentar, inviabilizando qualquer ensaio de ingerência de outro poder na esfera de atuação institucional do Legislativo."

Vamos prestar atenção: Celso de Mello está dizendo com todas as letras que, "salvo deliberação em contrário da própria instituição parlamentar", o mandato possui a garantia constitucional da intangibilidade, impedindo que "uma decisão emanada de outro poder (o Poder Judiciário), implique a suspensão dos direitos políticos e a própria perda do mandato". Diz ainda o ministro que o mandato só pode ser cassado "por efeito exclusivo" de uma deliberação "tomada pelo voto secreto e pela maioria absoluta dos membros de sua própria Casa Legislativa".

Precisa mais?

Precisa. Em outra passagem daquele voto, Celso de Mello faz questão de estabelecer diferenças entre a Carta em vigor, a de 1988, e a Emenda Constitucional anterior, de 1969, que procurava formatar as leis da ditadura nascida com o AI-5. Era um cuidado importante. A carta da ditadura, que autorizava o funcionamento de um Congresso controlado, onde o presidente da República divulgava lista de cassados sem o menor pudor, dizia em seu artigo 149 que o "Presidente" e o "Poder Judiciário" poderiam cassar mandatos.

Os próprios parlamentares estavam excluídos dessa decisão. Compreende-se. Mesmo num regime sem liberdade partidária, e imensa repressão sobre as organizações populares, em especial dos trabalhadores, eles poderiam causar dores de cabeça. As cassações

A OUTRA HISTÓRIA DO MENSALÃO

marcaram, por isso, toda a história do regime militar. Eram divulgadas em listas, em ambiente de medo.

Neste aspecto, a ditadura era coerente. Subtraía dos representantes do povo — mesmo eleitos naquelas circunstâncias difíceis de um regime militar — o direito de deliberar sobre a cassação de um mandato. Examinando as duas cartas, Celso de Mello conclui que uma decisão de outro poder — fala explicitamente do Poder Judiciário — poderia representar uma "tutela" ao "exercício do mandato parlamentar" e que a finalidade do artigo 55 era inviabilizar "qualquer ensaio de ingerência" sobre o Legislativo.

Precisa mais?

Precisa. O voto de Celso de Mello em 1995 está longe de ser um caso isolado. Até muito recentemente, era um ponto pacífico para vários ministros da casa.

Em 2011, no julgamento de um deputado condenado pelo STF por esterilização ilegal de mulheres no interior do Pará, os ministros também votaram sobre a cassação de mandatos. Alguns votos são significativos, conforme levantamento feito pelo repórter Erich Decat, divulgado dias atrás por Fernando Rodrigues:

> **Luiz Fux**, revisor — página 173 do acórdão: "Com o trânsito em julgado, lance-se o nome do réu no rol dos culpados e oficie-se a Câmara dos Deputados para os fins do art. 55, § 2º, da Constituição Federal".
>
> **Marco Aurélio** — página 177 do acórdão: "Também, Presidente, ainda no âmbito da eventualidade, penso que não cabe ao Supremo a iniciativa visando compelir a Mesa diretiva da Câmara dos Deputados a deliberar quanto à perda do mandato, presente o artigo 55, inciso VI do § 2º, da Constituição Federal. Por quê? Porque, se formos a esse dispositivo, veremos que o Supremo não tem a iniciativa para chegar-se à perda de mandato por deliberação da Câmara".

HISTÓRIA AGORA

Gilmar Mendes — página 241 do acórdão: "No que diz respeito à questão suscitada pelo Ministro Ayres Britto, fico com a posição do Relator, que faz a comunicação para que a Câmara aplique tal como seja de seu entendimento".

Ayres Britto (já aposentado) — página 226 do acórdão: "Só que a Constituição atual não habilita o Judiciário a decretar a perda, nunca, dos direitos políticos, só a suspensão".

Cezar Peluso (já aposentado) — página 243 do acórdão: "A mera condenação criminal em si não implica, ainda durante a pendência dos seus efeitos, perda automática do mandato. Por que que não implica? Porque se implicasse, o disposto no artigo 55, VI, c/c § 2º, seria norma inócua ou destituída de qualquer senso; não restaria matéria sobre a qual o Congresso pudesse decidir. Se fosse sempre consequência automática de condenação criminal, em entendimento diverso do artigo 15, III, o Congresso não teria nada por deliberar, e essa norma perderia qualquer sentido".

Vamos ler de novo?

Fux não manda cassar. Pelo contrário: manda oficiar a Mesa para "os fins do artigo 55", que exige deliberação por voto secreto e maioria absoluta — da cassação. Para Marco Aurélio, "não cabe ao Supremo a iniciativa visando compelir a Mesa diretiva da Câmara dos Deputados a deliberar quanto à perda do mandato, presente o artigo 55, inciso VI do § 2º, da Constituição Federal". Gilmar Mendes pede que se comunique a decisão à Câmara para que a "aplique tal como seja de seu entendimento".

Claro que ninguém está impedido de mudar de opinião ao longo da vida. Muitas vezes, essa mudança é indispensável e positiva. Quem pode julgar?

O voto de Celso de Mello em 1995 está longe de ser uma análise conjuntural. Aponta para traços permanentes que distinguem a

Constituição cidadã de 1988, sem "ingerência de outro poder", daquela de 1969, que previa cassação de mandatos pelo Poder Judiciário, como o Supremo fez com Chico Pinto em 1976.

Parece óbvio que ele — e outros colegas do STF — mudaram de opinião com o passar do tempo. Ao julgar o mensalão do PT, concluíram que o artigo 55 está errado.

Passaram a ter receio de que os parlamentares não cassem o mandato dos deputados condenados à pena de prisão.

Concordo que pode ser absurdo, mas está na lei e é um direito deles. E se os parlamentares concluírem, após ampla defesa, que o mandato não deve ser cassado? É feio? Escandaloso? Imoral?

Repito: feio, escandaloso e imoral é romper a Constituição, desastre que todos sabem como começa e, para evitar reações em contrário, fingem não saber como termina. (Todos sabem como termina, não é?)

Em 2012, pelo menos quatro ministros do STF dizem que essa prerrogativa está errada. Dizem que ela pode criar o inconveniente de ter um político na cadeia — com o mandato no bolso.

Embora os juízes tenham mudado de opinião, a Constituição permanece a mesma. Passou por várias reformas, recebeu emendas, mas o artigo 55 permanece lá, em seu formato original. O texto é o mesmo, com todos os seus parágrafos e vírgulas. Temos então, um debate político — e não jurídico. A discussão é de outra natureza.

Quem quer mudar a Lei Maior, só precisa respeitar o artigo primeiro, que diz que todo poder emana do povo e será exercido por seus representantes eleitos — e aprovar uma emenda constitucional.

Não vale dizer que a Constituição é aquilo que o Supremo diz que ela é.

Sabe por quê? Essa frase nasceu nos Estados Unidos, país que escreveu sua Constituição em 1767, o que exige atualizações constantes. Não custa lembrar que os norte-americanos escolhem seus presidentes por delegados estaduais, em critérios que raramente são proporcionais. As fraudes eleitorais ocorrem com uma frequência incompatível com o grau de desenvolvimento do país.

George W. Bush foi empossado na Casa Branca por decisão da Suprema Corte. Os juízes republicanos, em maioria no tribunal, tomaram medidas cabíveis para beneficiar o candidato do partido, impedindo a recontagem de votos que poderia ter beneficiado o democrata Al Gore.

Os brasileiros conquistaram sua soberania no fim da ditadura ao eleger uma constituinte pelo voto direto e secreto, rejeitando emendões, remendos e monstrengos variados que se queria impor a partir do alto. No início, queria-se entregar a tarefa de escrever a nova carta a uma comissão de notáveis, coordenada por Afonso Arinos de Mello Franco, jurista de saber muito mais notável do que as convicções democráticas de seu partido de origem, a velha UDN que liderou o braço civil do golpe de 64.

A Constituinte foi a resposta democrática contra as tentativas de fazer uma recauchutagem na ditadura. Criou o mais amplo regime de liberdades da história do país.

Traumatizados por mandatos cassados conforme as conveniências dos generais, os constituintes fizeram questão de reforçar as prerrogativas do Congresso.

Todo mundo adora Raul Seixas, mas ninguém precisa cair no *rock* da metamorfose ambulante nessa matéria. E a tal segurança jurídica?

A Carta pode ser modificada, sim. Mas a palavra final está no artigo primeiro, aquele que diz que todo poder emana do povo, que o exerce através de seus representantes eleitos.

Esta é a questão.

Por fim, uma observação. É curioso que uma descoberta relevante sobre um dos ministros mais influentes do STF tenha sido obra de um tuiteiro anônimo. Não foi assim uma revelação bombástica. O voto estava lá, nos arquivos do STF.

A OUTRA HISTÓRIA DO MENSALÃO

O tuiteiro se apresenta com o pseudônimo de Stanley Burburinho, e deve ter lá seus motivos para não revelar a identidade.

O Brasil do início dos séculos XVII e XIX possuía vários personagens dessa natureza, que se escondiam atrás de nomes falsos e
apelidos estranhos. O mais conhecido era um padre do Recife, chamado de O Carapuceiro, que publicava um panfleto com notícias
políticas e denúncias.

Mas o país vivia sob o absolutismo da Coroa portuguesa e depois
sob a Constituição promulgada pela espada de Pedro I. A censura
era vista como um dado normal da vida pública, assim como o
trabalho escravo.

Nada a ver com os tempos da Constituição de 1988, concorda?

Ministro Celso de Mello defende que o Supremo defina perda de mandato para parlamentares condenados na Ação Penal 470

CAPÍTULO 37.
O QUE É (MESMO) INTOLERÁVEL E INCOMPREENSÍVEL

16h44, 18/12/2012

Paulo Moreira Leite

Não há motivo para surpresa no voto de Celso de Mello, autorizando o Supremo a definir a perda do mandato de parlamentares. Embora a decisão contrarie o artigo 55 da Constituição, que define expressamente que a Câmara tem a palavra final sobre os mandatos, este voto era previsível.

A maior surpresa veio depois. Após anunciar seu voto, Celso de Mello declarou que qualquer reação do Congresso, contrariando sua decisão, será "intolerável, inaceitável e incompreensível". Ele ainda definiu que seria "politicamente irresponsável" e "juridicamente inaceitável". Mais: seria uma "insubordinação".

São palavras que pressupõem uma relação de autoridade entre poderes. Celso de Mello disse que há atitudes que o STF pode tolerar ou não.

Quem fala em insubordinação fala em hierarquia.

Confesso que percorri a Constituição e não encontrei nenhum artigo que dissesse que o Congresso é um poder "subordinado" ao STF. A Constituição diz, em seu artigo primeiro, que "todo poder emana do povo, que o exerce através de seus representantes eleitos".

Acho coerente que o artigo 1º dê ao presidente da República a decisão de escolha dos ministros do Supremo. E o Senado referenda — ou não — a escolha. Sempre entendi que há uma harmonia entre os poderes. Devem tolerar-se e respeitar-se. Mas, se há uma hierarquia ela se define pelo voto.

Foi Luiz Inácio Lula da Silva quem indicou Joaquim Barbosa, posteriormente aprovado pelos senadores. O mesmo aconteceu com Celso de Mello, indicado por José Sarney. Ou com Gilmar Mendes, indicado por Fernando Henrique Cardoso. Foram os eleitores que escolheram Lula e Fernando Henrique. Sarney foi escolhido pelo Colégio Eleitoral, expressando, de forma indireta e distorcida, a vontade dos eleitores.

E foi pelo voto de 407 constituintes, ou 72% do plenário, escolhido por 66 milhões de brasileiros, que se escreveu o artigo 55, aquele que garante que o mandato será cassado (ou não) por maioria absoluta de parlamentares. É um texto tão cristalino, que mesmo o ex-ministro Carlos Velloso, favorável a que a Câmara cumpra automaticamente a decisão do STF, admite, em entrevista a Thiago Herdy, no Globo de hoje: "No meu entendimento, ao Supremo cabia condenar e suspender os direitos políticos e comunicar a Câmara, a quem caberia cassar o mandato."

No mesmo jornal, Dalmo Dallari afirma: "o constituinte definiu e deu atribuição ao Legislativo para que decida sobre a matéria. O Parlamento, em cada caso, verifica se é a hipótese de perda de mandato". Para Dallari, "temos que obedecer ao que a Constituinte estabeleceu. Então eu só vou obedecer naquilo que me interessa? No que estou de acordo? Não tem sentido".

Ao se apresentar como poder moderador entre a Justiça e o Parlamento, na Constituinte de 1824, Pedro I disse que aceitaria a Constituição desde que... "ela fosse digna do Brasil e de mim".

Hoje, a *Folha de S. Paulo* define a decisão do STF, de cassar os mandatos, como um "mau passo". O jornal explica:

"O fundamento dessa interpretação está na própria Constituição. O parágrafo segundo do artigo 55 diz que somente o Congresso pode decidir sobre cassação de mandatos de deputados condenados. A regra se baseia no princípio de freios e contrapesos — neste caso, manifesta na necessidade de preservar um poder de eventuais abusos cometidos por outro.

Com a decisão de ontem, como evitar que, no futuro, um STF enviesado se ponha a perseguir parlamentares de oposição? Algo semelhante já aconteceu no passado, e a única garantia contra a repetição da história é o fortalecimento institucional."

Essa é a questão. O artigo 55 destinava-se a proteger os direitos do eleitor, ao garantir que só representantes eleitos podem cassar representantes eleitos.

Com sua atitude, o Supremo cria um impasse desnecessário.

Se a Câmara aceita a medida, transforma-se num poder submisso. Se rejeita, será acusada de insubordinação diante da Justiça.

É fácil compreender quem ganha com essa situação. Não é a democracia. Só os candidatos a Pedro I.

E isso é que é mesmo "intolerável, inaceitável, incompreensível".

EPÍLOGO

O começo e
o fim de tudo

Do ponto de vista jurídico, o futuro irá dizer qual o impacto real das sentenças duríssimas aprovadas pelo Supremo Tribunal Federal. O país acumula um histórico de tolerância e impunidade com crimes de corrupção nas altas esferas, o que explica o olhar positivo e mesmo empolgado de tantos brasileiros diante do julgamento.

Há questões por esclarecer, contudo. Como se procurou argumentar nas páginas anteriores, elementos importantes da acusação não foram totalmente demonstrados.

A noção de "compra de votos" para aprovar projetos no Congresso não foi ilustrada com casos concretos nem exemplos convincentes. Mesmo a denúncia de que o mensalão era um esquema que desviava recursos públicos, torna-se frágil quando se verifica que ela não é confirmada por auditorias e exames realizados na contabilidade das instituições envolvidas. Também é possível questionar a consistência de provas empregadas para condenar determinados réus, que tiveram um papel óbvio na articulação política dos dois primeiros anos do governo Lula sem que sua participação em atos criminosos tenha sido demonstrada de forma irretorquível.

HISTÓRIA AGORA

Ficou por demonstrar, ainda, que existe uma mesma disposição para julgar e punir a todos acusados sem distinção de classe, raça e credo político. Com exceção de homens de negócio integrados organicamente ao esquema de Marcos Valério, acusados de agir como associados, nenhum executivo apanhado em posição típica de "corruptor" foi chamado a sentar-se no banco dos réus da Ação Penal 470.

É notável que o maior processo de corrupção da história do país tenha como alvo um partido de origem popular e ideias socialistas, formado por várias lideranças da luta contra a ditadura que governou o Brasil entre 1964 e 1985.

Apanhados num esquema semelhante, políticos ligados ao PSDB-MG tiveram direito a um tratamento mais adequado. Garantiram, pelo desmembramento, uma melhor oportunidade de defender seus direitos na Justiça, o que, por si só, sinaliza um benefício importante.

Qualquer que seja o balanço jurídico do julgamento, contudo, é possível avaliar seu saldo político. O conjunto de forças que, sob a liderança de Luiz Inácio Lula da Silva, subiu a rampa do Planalto em 2002, sofreu aquela que pode ter sido a mais profunda derrota de sua história. Lula se reelegeu em 2006, garantiu a vitória de Dilma Rousseff em 2010 e, em 2012, já nas semanas finais do julgamento, liderou o PT numa campanha municipal bem-sucedida.

Em 2006, o presidente recuperou-se das denúncias do mensalão. Com apoio na alta do emprego e numa política de redistribuição de renda, reconstruiu o governo e garantiu uma vitória sem sustos no segundo turno. Nada assegura, porém, que a proeza de 2006 será repetida em 2014.

Reanimada por uma vitória obtida fora das urnas, a oposição mantém problemas de natureza estrutural, a começar pela dificuldade de dar respostas para a criação de oportunidades aos mais pobres, indispensáveis à formação de uma nova maioria eleitoral no país. Mas os adversários do governo iniciam 2013 numa posição confortável como não se via há anos. Mesmo a economia, uma aliada do governo desde 2004, encontra-se em situação mais fraca. Por mais que grande parte da população tenha uma visão da Justiça como um espaço onde o poder econômico é tratado de forma privilegiada, uma condenação com assinatura da mais alta corte de Justiça pode produzir um efeito político bem mais devastador do que conclusões de uma CPI.

Há dúvidas sobre o poder de estrago que o publicitário Marcos Valério poderia causar a Lula e ao PT. Primeira testemunha interna do mensalão desde a aparição de Roberto Jefferson, o esforço de Valério para obter uma delação premiada capaz de reduzir sua pena de quarenta anos de prisão sempre recebeu estímulos de adversários do governo, mas o real poder de fogo de suas denúncias continua desconhecido. O próprio Ministério Público tem demonstrado uma postura de cautela.

Não se pode desprezar, contudo, a possibilidade dos adversários de Lula tentarem transformar um palito de fósforo numa labareda.

Meses atrás, fazendo uma analogia com a reação conservadora que se seguiu à Revolução Francesa de 1789, eu me referia à possibilidade de o julgamento do mensalão inaugurar uma tentativa de reversão nas transformações ocorridas no país a partir da posse de Lula em 2003. ("STF e o Thermidor de Lula," 4/10/2012.)

No texto, lembro que o Thermidor foi aberto por Roberspierre, um juiz que se apresentava como adversário implacável da corrupção e determinava execuções sumárias de adversários acusados de corrupção. Como saldo, o Thermidor levou a uma redução das garantias democráticas, diminuiu o poder do homem comum interferir nas decisões do Estado e culminou na restauração do monarquia.

2

As últimas cenas do julgamento envolvem o destino de quatro deputados que foram condenados pelo STF.

HISTÓRIA AGORA

O artigo 55 da Constituição reserva à Câmara o direito de definir a perda de mandatos. Mas o STF decidiu, por 5 votos a 4, que eles devem ser cassados, o que pode gerar um choque político de intensidade desconhecida.

Favoráveis à decisão do STF, vários observadores se permitiram uma distinção curiosa, dizendo que a decisão destes parlamentares em manter seu próprio mandato pode ser legal, mas é imoral.

Todo mundo tem direito a manifestar um juízo de valor sobre as realidades humanas. Mas não se pode, a partir de um argumento moral, questionar direitos assegurados em lei.

Nas sociedades contemporâneas, os valores morais podem variar de uma pessoa para outra, mas a lei precisa valer para todos.

A moral também pode ser usada ao sabor de conveniências políticas e mesmo para se obter benefícios pessoais.

Você pode achar que a traição a compromissos aceitos de livre e espontânea vontade é uma atitude repugnante e inaceitável. Também pode ter orgulho de jamais ter apontado o dedo para alguém no trabalho, na escola. "Nunca entreguei um irmão", diz.

Mas pode aceitar uma delação premiada — como a de Roberto Jefferson — se considerar que ela cumpre uma função politicamente justa.

Jefferson teve a pena reduzida em nome dos serviços prestados pela delação.

Imoral? Ilegal?

Hoje, muitas pessoas torcem para que o tesoureiro Marcos Valério se mostre um delator competente para levar a investigação até Lula.

Você pode achar que aquele livro sobre não sei quantos tons de cinza é uma obra imoral, mas não pode querer que seja proibido por causa disso. Por quê? Porque a lei garante a liberdade de expressão como um valor absoluto.

Embora aquela universitária de São Paulo tenha ido às aulas com uma super minissaia, provocando indignação de vários colegas, ninguém tinha o direito de promover seu linchamento moral, concorda?

Em seis Estados brasileiros o Superior Tribunal de Justiça, a segunda mais alta corte do país, tenta licença para investigar governadores e não consegue avançar na apuração.

Por quê? Porque as Assembleias Legislativas não autorizam. Entre os seis governadores, cinco são tucanos e um é do PMDB. Todos são imorais?

Cada Estado tem sua própria Constituição, mas o debate envolve o mesmo princípio do artigo 55 da Constituição Federal, que reserva aos representantes eleitos pelo povo o direito de definir a perda de mandato de outro representante do povo.

Mas é curioso que os indignados de Brasília não fiquem incomodados no plano estadual.

Vamos colocar a questão com clareza. É natural debater questões jurídicas no julgamento do mensalão. Você pode questionar a flexibilização das provas, pode dizer que sem o "domínio do fato" o país seguiria sendo um paraíso da impunidade e assim por diante. Você também pode discordar de tudo isso, como fazem advogados e juristas que criticam as decisões do Supremo.

Estamos, aqui, num terreno do Direito.

Mas o debate sobre a perda de mandato envolve uma questão política. Diz respeito à separação entre poderes, à organização do Estado.

Envolve o respeito ao voto.

A Constituição não é um documento produzido pelo Supremo, mas obra de uma nação inteira. Num dia de 1986, sessenta e nove milhões de eleitores saíram de casa para eleger os parlamentares que se reuniram numa Assembleia Constituinte.

Numa entrevista ao *site* de *O Estado de S. Paulo*, o professor Oscar Vilhena, da FGV, recordou que a "Constituição determina a partilha de poderes: o Supremo condena e transfere a responsabilidade para o Parlamento. E ele vai ter consequências políticas se não afastar (os deputados)" (18/11/2012).

Para quem disse que essa regra poderia levar a um "vexame", caso a Câmara não afastasse condenados, Vilhena recordou a questão essencial: "A Constituição quis isso."

A quem "não suporta" viver com esse "vexame" não custa recordar que os regimes democráticos são superiores aos demais, porque expressam a vontade da maioria, encontram fórmulas para compatibilizar poderes soberanos e respeitar os direitos da minoria.

Numa democracia, as grandes decisões nascem e voltam ao povo. O voto é secreto e deve ser assim, porque protege nosso direito de escolha. Os partidos precisam ser livres, para que o eleitor possa decidir quem deve formar o governo. E é por causa do voto que os representantes prestam contas ao eleitor — ou são mandados para casa, de quatro em quatro anos.

Convivemos com isso, porque sabemos que há uma regra geral que nos protege, uma fronteira que não pode ser ultrapassada.

A noção de que todos são iguais perante a lei, tão repetida nestes dias, só tem valor porque repousa na ideia de soberania popular.

O princípio que une política e moral se encontra no artigo 1º da Constituição, que diz que "todo poder emana do povo, que o exerce através de representantes eleitos". Repare: os constituintes fizeram questão de falar em "representantes eleitos" para deixar claro de onde vem a força que nos protege. Está no voto — como era importante lembrar naquele país que vencia uma ditadura, quando o poder fora usurpado por fardas e baionetas.

Uma decisão do Supremo deve ser cumprida e tem força de lei, diz o Ministro da Justiça.

Mas o que se faz quando, por 5 votos a 4, se estabelece uma diferença clamorosa, uma contradição com a própria Constituição?

Não é possível empregar argumentos de autoridade. A menos, claro, que se pretenda criar um novo tipo de autoritarismo —

desvio que, como se sabe, é produto da exacerbação de um poder sobre outro.

Durante o Estado Novo, o Supremo autorizou que a militante comunista Olga Benário fosse enviada para a morte num campo de concentração nazista.

Seria moral e legal tentar impedir a entrega de Olga Benário por todos os meios e recursos que poderiam preservar sua vida, sua dignidade e mesmo a filha que levava em seu ventre, vamos combinar.

Em 1964, o Supremo aceitou a tese de que a Presidência da República ficara vaga depois que Jango deixou o país e deu posse à ditadura militar. Mas Jango não havia renunciado e era o presidente do país. Poderia ser substituído temporariamente, talvez, mas não deposto.

Seria ilegal resistir a essa sentença? Imoral?

Em 2010, o Supremo decidiu por 7 votos a 2, que só o Congresso poderia modificar a Lei de Anistia. Com isso, as investigações sobre torturas e execuções perderam uma base legal importante.

Pergunto: vamos proibir os jovens que não se rendem e denunciam torturadores nas ruas, com cartazes e panfletos? Vamos pedir o afastamento de procuradores que tentam esclarecer crimes da ditadura?

Vamos chamar a PM para dar porrada? (Quando ela não estiver perseguindo estudantes que portam maconha, o que a lei diz que é legal em certa quantidade, mas que muita gente considera imoral e por isso aprova todo tipo de repressão, até sem base legal.)

3

Há momentos em que é difícil saber se estamos falando de liberdade ou de "submissão à autoridade".

Este é o título de uma clássica pesquisa de psicologia social em que Stanley Milgram mostra, em testes com cobaias humanas de laboratório, que cidadãos norte-americanos, bons e pacatos em seu dia a dia, são capazes até de torturar pessoas inocentes com choques elétricos de alta voltagem apenas pelo conforto de obedecer a uma determinação superior, a uma voz poderosa e firme.

É certo que não vivemos num país semelhante ao mundo de laboratório de Milgram.

Vivemos sob o mais amplo regime de liberdades de nossa história.

Mas o estudo do professor ajuda a lembrar que muitas pessoas podem ser levadas a contrariar convicções mais profundas a partir de circunstâncias inesperadas, concorda?

A colocação de uma questão moral à frente da legal só ajuda a despolitizar um debate e diminuir a democracia.

José Genoino, que recuperou o mandato para substituir um parlamentar que se elegeu prefeito nas urnas de 2012, foi particularmente visado quando se disse com a "consciência limpa dos inocentes".

Você pode, com base naquilo que viu e ouviu nas cinquenta e três sessões do julgamento, achar que ele é mesmo culpado e deveria renunciar ao mandato que recebeu.

Mas você poderia pensar o contrário. Ser inteligente é mascar chiclete e andar ao mesmo tempo, certo?

A grande acusação é que Genoino assinou "empréstimos fraudulentos" que alimentaram o esquema.

Mas: veja só. A própria Polícia Federal, que investigou o caso e as contas do mensalão, concluiu que os empréstimos não eram uma fraude. Em seu relatório, a PF diz que a partir dos empréstimos ocorreram grandes retiradas em dinheiro vivo, em nome de Valério, de sócio, de executivos das agências de publicidade. Não se sabe se foi um dinheiro para uso pessoal, ou se era simples intermediação para entregar para Delúbio e sua turma, ou tudo misturado.

A própria polícia admite que não foi possível rastrear os destinatários com precisão. Reclama que os funcionários que faziam as retiradas não prestaram depoimento na hora certa. Mas ela diz que os empréstimos não eram uma farsa.

A Justiça supervisionou um acordo para o pagamento do empréstimo. Era ilegal? Era imoral? Ou o quê?

Em todo caso, se era ilegal, pergunta-se: o que aconteceu com a turma do Banco Central que deveria fiscalizar essas coisas?

O que houve com quem referendou o acordo? Alguém foi punido por ser ilegal?

Ou não se julgou moralmente conveniente?

Como escreveu Janio de Freitas, "sentir a dignidade ultrajada por uma injustiça poderia justificar a decisão de José Genoino de defendê-la, com um ato político e institucional, e à sua convicção de inocência".

Fruto de uma longa e difícil luta contra o regime militar, a Constituição não criou prerrogativas nem direitos por acaso. Sua finalidade é esclarecer dúvidas, garantir que, acima dos parlamentares, os direitos do eleitor e do cidadão sejam respeitados.

Em sete anos de investigações, o mensalão transformou-se no discurso de um lado só. No Tribunal, cada advogado dos réus teve direito a um discurso de duas horas num julgamento que durou cinco meses. Isso impediu que dúvidas importantes fossem discutidas e resolvidas.

Verdades que pareciam evidentes em 2005 poderiam ter sido examinadas, revistas e explicadas em 2012.

Auditorias do Banco do Brasil e do Tribunal de Contas levaram tempo para serem realizadas, conferidas, examinadas de novo. Mas elas negam aquilo que parecia fácil sugerir e sustentar, no início das denúncias, numa mesa de CPI.

Mostram que as "evidências" de desvio de "dinheiro público" eram mais fáceis de dizer do que de demonstrar. Serão os juízes do TCU, os auditores do Banco do Brasil, os agentes da Polícia Federal, todos incapazes, ineptos ou coisa pior?

4

Líderes do Congresso foram tratados como criadores de caso, encrenqueiros que jogam com a plateia, só porque muitos deles não quiseram abrir mão da palavra final sobre os mandatos.

HISTÓRIA AGORA

Se o artigo 55 não foi abolido — o que só os parlamentares têm o direito de fazer —, é mais do que razoável que sua aplicação seja discutida.

Ao longo de sete anos de mensalão o Congresso não moveu um dedo mínimo para atrapalhar a investigação. (Aliás, foi no mal afamado, "vexaminoso", "vergonhoso", "incorrigível" Congresso que tudo começou, com três CPIs que abriram as grandes feridas do mensalão, certo?)

Os parlamentares jamais cometeram qualquer gesto em direção ao STF que pudesse ser interpretado como ação indevida. Ficaram silenciosos em seu canto, respeitosos das atribuições de cada um. E é natural que queiram ser respeitados, agora. Não é corporativismo.

A democracia é um regime coerente. Não há um poder soberano. Os três devem funcionar em harmonia.

Por isso a Constituição diz que o povo exerce o poder através de seus representantes eleitos. Esta frase não é enfeite. O voto da maioria da população é o começo e o fim de tudo.

ÍNDICE ONOMÁSTICO

Abramovay, Pedro 139
ACM (Antônio Carlos Magalhães) 244
Aggege, Soraya 226
Al Gore 324
Alckmin, Geraldo 26, 44
Alencar, José 156, 218
Alencar, Kennedy 35
Amaral, Delcídio do 272
Anysio, Chico 275
Arendt, Hannah 314
Atatürk, Kemal 244
Aurélio, Marco 34, 35, 236, 239, 321, 322
Azeredo, Eduardo 104, 138, 272

Baleeiro, Aliomar 200
Bandeira, Muniz 111
Barbosa, Joaquim 12, 13, 20, 34, 35, 77, 92, 97, 98, 101, 102, 103, 115, 123, 124, 125, 137, 145, 147, 148, 150, 153, 154, 156, 198, 208, 209, 236, 239, 242, 243, 244, 330
Bastos, Márcio Thomaz 66, 68, 71, 77, 172
Battisti, Cesare 17
Benário, Olga 339
Bergamasco, Débora 56
Bergamo, Mônica 16, 137
Berlusconi, Silvio 213
Betinho (Humberto de Souza) 93
Borges, Cesar 96
Branco, Castelo 200, 201
Brant, Roberto 21, 148
Brian, Guilherme 29
Britto, Carlos Ayres 14, 34, 83, 92, 110, 124, 141, 194, 195, 197, 198, 203, 208, 322

HISTÓRIA AGORA

Burburinho, Stanley 325
Bush, George W. 199, 213, 324

Cabral, Pedro Álvares 244, 285
Cabral, Sergio 16
Cachoeira, Carlinhos (Cachoeira) 33, 41, 201, 242
Calmon, Eliane 154
Camargo, Hebe 285
Campos, Eduardo 229
Cantanhêde, Eliane 156, 218
Cardoso, Fernando Henrique 25, 33, 36, 42, 44, 59, 64, 94, 95, 139, 188, 227, 244, 302, 330
Cardoso, Ruth 244
Cardozo, José Eduardo 17, 272
Carter, Jimmy 42
Carvalho, Marcelino de 285
Casseb, Cássio 119
Chávez, Hugo 200
Cicco, Carla 257, 258
Cico, Carla 119
Clinton, Bill 199
Correa, Cristiane 258
Covas, Mário 36
Cunha, João Paulo 123, 128, 131, 140, 240

Dallari, Dalmo 37, 330
Daniel, Celso 225, 227, 228

Dantas, Daniel 118, 119, 257, 258, 259
Decat, Erich 321
Dias, José Carlos 77, 102
Dirceu, José 13, 14, 15, 16, 17, 18, 21, 24, 26, 50, 51, 56, 58, 65, 75, 76, 78, 86, 110, 118, 126, 139, 146, 148, 156, 184, 187, 188, 189, 191, 202, 203, 214, 215, 217, 218, 225, 233, 234, 235, 240, 241, 242, 243, 244, 249, 252, 253, 257, 261, 262, 275, 277, 286
Dorothy 187
Dutra, Eurico 200
Dylan, Bob 137

Elbrick, Charles 202, 234
Erundina, Luiza 22

Farias, PC 25, 146, 172
Ferreira, Carlos Eduardo Moreira 95
FHC (Fernado Henrique Cardoso) 42, 44, 118, 134, 154, 202, 209, 228, 293, 302
Figueiredo, Lucas 58, 209, 241
Filho, Roberto Stuckert 12
Fischer, Felix 15, 91
Florisbal, Otávio 28
Fontana, Henrique 147

344

Franch, João Leoni Parada 29
Franco, Afonso Arinos de Mello 324
Franco, Itamar 93, 209
Freitas, Janio de 7, 15, 58, 92, 180, 209, 225, 341
Fujimori, Alberto 250
Fux, Luiz 16, 17, 321, 322

Geisel 202
Genoino, José 16, 35, 77, 86, 139, 146, 148, 168, 169, 171, 172, 173, 181, 187, 190, 191, 202, 203, 214, 215, 217, 218, 225, 230, 233, 234, 235, 240, 241, 242, 257, 259, 260, 261, 262, 268, 269, 275, 277, 299, 313, 315, 340, 341
Giannotti, José Arthur 188, 217, 220
Goebbels 165
Goldman, Alberto 26
Gomes, Luiz Flávio 116, 118
Gordon, Lincoln 111
Goulart, João 23, 109, 198, 294, 296
Granado, Marcelo 96
Grau, Eros 13
Grillo, Cristina 249
Guedes, Névinton 31
Guerra, Alceni 116, 218

Guevara, Che 202
Guimarães, Ulysses 228, 283
Gurgel, Roberto 28, 29, 72, 76, 77, 115, 139, 207, 229, 242, 252, 314
Gushiken, Luiz 21, 81, 82, 85, 86, 95, 96, 97, 112, 113, 115, 116, 118, 119, 126, 259

Haddad, Fernando 24, 207, 229
Helena, Heloísa 27
Herdy, Thiago 330
Herzog, Vladimir 200
Hitler, Adolf 86
Hollerbach, Ramon 15, 233
Hlmes, Oliver Wendel 31
Houaiss (o dicionário) 172, 300

Jango (João Goulart) 24, 109, 198, 201, 339
Jefferson, Roberto 25, 26, 50, 51, 56, 59, 60, 64, 65, 66, 75, 76, 118, 139, 163, 179, 181, 188, 193, 209, 214, 225, 242, 252, 258, 261, 286, 335, 336
JK (Juscelino Kubitschek) 181, 201
Jobim, Nelson 33, 34, 41, 45, 293
Jung, Carl 83, 92
Junior, Jutahy 26

Junior, Luiz Moreira 19
Júnior, Miguel Reale 95

Kubitschek, Juscelino 149

Lacerda, Carlos 23, 149, 201
Lacerda, Paulo 190
Lacombe, Margarida 171, 189
Lamarca (Carlos) 216, 217
Leal, Vitor Nunes 295
Lemos, Christina 29
Lênin 178
Leonardo, Marcelo 226
Lewandowski, Ricardo 12, 13,
    14, 20, 77, 97, 101, 102, 115,
    120, 121, 123, 124, 125,
    126, 127, 131, 177, 181,
    188, 239
Lima, Hermes 295
Lirio, Sérgio 149
Lo Prete, Renata 50
Loyola, Leandro 55
Lúcia, Carmen 12, 13, 132
Lugo, Fernando 76, 213, 286
Lula 12, 13, 16, 17, 18, 20, 23, 24,
    33, 34, 36, 38, 39, 41, 42, 43,
    44, 45, 50, 51, 56, 75, 76, 95,
    101, 110, 116, 118, 119, 123,
    139, 154, 156, 163, 165, 175,
    179, 181, 182, 183, 190, 198,
199, 208, 209, 220, 225, 226,
227, 228, 229, 258, 259, 262,
278, 285, 286, 302, 330, 333,
334, 335, 336

Maciel, Marco 202
Magalhães, Vera 13
Magnoli, Demétrio 24
Maia, Marco 36, 288, 291, 302,
    309
Maierovitch, Walter 76
Maluf, Paulo 140
Maria I (a louca) 261
Marighella, Carlos 201, 202, 216,
    217
Márquez, Gabriel García 199
Martins, Paulo Egydio 202
Maxwell, Kenneth 261
Mazzili, Ranieri 109
Mello, Celso Bandeira de 198
Mello, Celso de 36, 41, 215, 307,
    319, 320, 321, 322, 326, 329,
    330
Mello, Fernando Collor de 24,
    25, 42, 64, 87, 97, 116, 146,
    171, 172, 301, 302
Mello, Marco Aurélio 34, 236,
    239
Menchen, Denise 249
Mendes, Gilmar 33, 38, 41, 44,
    139, 145, 215, 322, 330

Mendonça, Duda 214, 225
Mercadante, Aloizio 153, 154
Merkel, Angela 165, 218
Meyer, Arno 84
Milgram, Stanley 339
Morelli, Dom Mauro 93
Motta, Sérgio 199
Müller, Filinto 86

Napoleão (Bonaparte) 82
Nardoni, Alexandre 233
Neto, Valdemar Costa 156, 181
Netto, Delfim 16, 36, 302
Neves, Aécio 241, 302
Neves, Tancredo 244, 245
Noblat, Ricardo 110

Obama (Barack) 182
Orwell, George 158, 161, 165

Paiva, Rubens 109
Palocci, Antonio 16, 58, 126, 225
Paz, Cristiano 15, 138
Pedro I (o imperador) 305, 309, 325, 330, 331
Peluso, Cezar 110, 125, 142, 198, 322
Pereira, Carlos José Lagroiva 18
Pereira, Cláudio José 20

Pereira, Raimundo 30
Pereira, Silvinho 192
Pereira, Silvio 226
Perón, Juan Domingo 200
Pinochet, Augusto 178
Pinto, Chico 316, 323
Pizzolato, Henrique 88, 92, 93, 94, 95, 96, 97, 115, 123, 173, 240, 261
Ponte Preta, Stanislaw 172
Pot, Pol 178
Przeworski, Adam 308

Quadros, Jânio 149

Ramos, Carlos Augusto (Cachoeira) 33
Rebelo, Katia 188
Ribas, Antonio Guilherme Ribeiro (Ferreira) 184
Robespierre (Maximilien François Marie Isidore de Robespierre) 178
Rocha, Cesar Asfor 38
Rocha, Marcelo 55
Rodrigues, Fernando 191, 321
Roosevelt, Franklin 199
Rousseff, Dilma 12, 16, 17, 44, 86, 150, 151, 153, 156, 199, 216, 228, 229, 235, 241, 334

Roxin, Claus 246, 249, 252, 253

Sampaio, Plínio de Arruda 27
Santiago, Ronivon 134, 139
Santos, Alberto Luís Marques dos 21
Sarney, José 42, 330
Schwartzman, Salomão 156
Seixas, Raul 324
Semeghini, Julio 26
Serra, José 27, 44, 207, 228
Serraglio, Osmar 55, 56
Serrano, Pedro 36, 269, 270, 271, 314
Silva, Evandro Lins 295
Silva, Marisa Lula da 123
Silveira, Claudio Mourão da 272
Simpson, O. J. 12
Singer, André 277
Soares, Delúbio 15, 25, 50, 51, 56, 65, 76, 94, 118, 124, 133, 146, 148, 156, 165, 192, 198, 218, 240, 258, 340
Souza, Antônio Fernando de 12, 180, 192
Souza, Humberto de (Betinho) 93
Stálin 178
Stedille, João Pedro 16
Streck, Lênio Luiz 32

Távora, Araken 216
Thatcher, Margareth 178

Tiradentes (o Inconfidente) 261
Toffoli, Antônio Dias 110, 132
Torres, Demóstenes 33, 190, 201

Uribe, Arthur 42

Vaccarezza, Cândido 44
Valério, Marcos 15, 21, 22, 25, 27, 28, 29, 50, 52, 56, 58, 59, 65, 66, 71, 77, 92, 94, 108, 115, 118, 123, 124, 131, 133, 138, 140, 148, 162, 165, 173, 180, 183, 188, 189, 192, 198, 219, 222, 225, 226, 227, 229, 233, 235, 242, 252, 257, 258, 334, 335, 336, 340
Vandré, Geraldo 275
Vargas, Getúlio 200, 201
Velloso, Carlos 37, 330
Vilhena, Oscar 337, 338
Virgílio, Arthur 272
Von Richthofen, Suzane 15, 233

Weber, Rosa Maria 35, 146, 304, 307

Zampronha, Luiz Flavio 46, 49, 118

Zavascki, Teori 36
Zé Dirceu 16, 184, 192
Zelaya, Manuel 197, 213